S0-ARK-738

Scénario : Frédéric Zumbiehl

Dessins : Éric Loutte

Couleurs : Sylvaine Scomazzon

Cette bande dessinée est parrainée par l'escadron de chasse 1/7 Provence.

Partenaires officiels

76, rue de la Pompe
75116 Paris
Tél : 06 16 30 46 24

Deuxième édition

Imprimé en Belgique par Lesaffre
Dépôt légal : juin 2008
ISBN : 978-2-9520681-7-8

www.zephyreditions.com

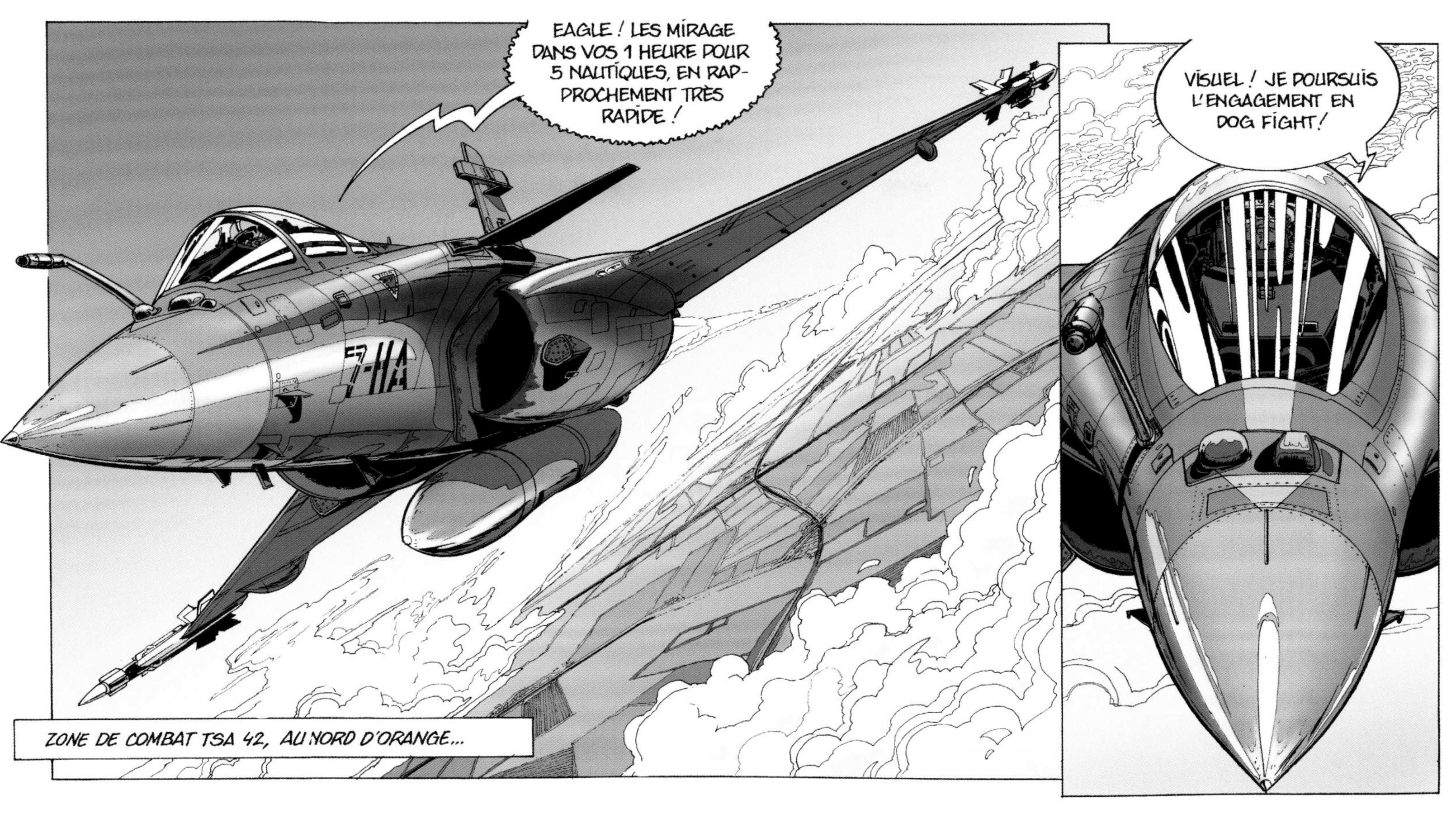
EAGLE ! LES MIRAGE DANS VOS 1 HEURE POUR 5 NAUTIQUES, EN RAP-PROCHEMENT TRÈS RAPIDE !
ZONE DE COMBAT TSA 42, AU NORD D'ORANGE...
VISUEL ! JE POURSUIS L'ENGAGEMENT EN DOG FIGHT !

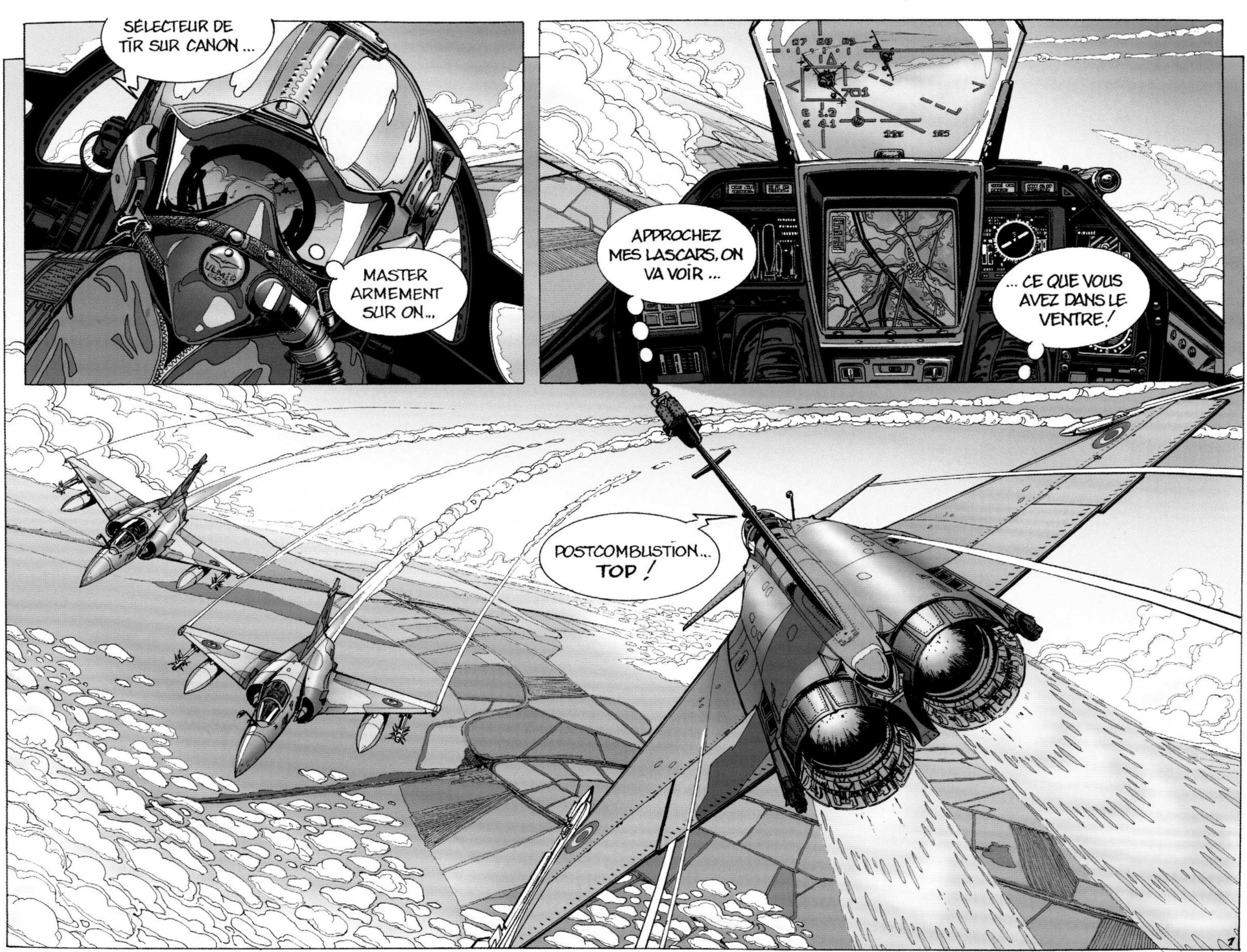
SÉLECTEUR DE TIR SUR CANON ...
MASTER ARMEMENT SUR ON...
APPROCHEZ MES LASCARS, ON VA VOIR ...
... CE QUE VOUS AVEZ DANS LE VENTRE !
POSTCOMBUSTION... TOP !

(1) GUNS KILL : TIR CANON

ET D'UN ! MAINTENANT TROUVER L'AUTRE...

BINGO !

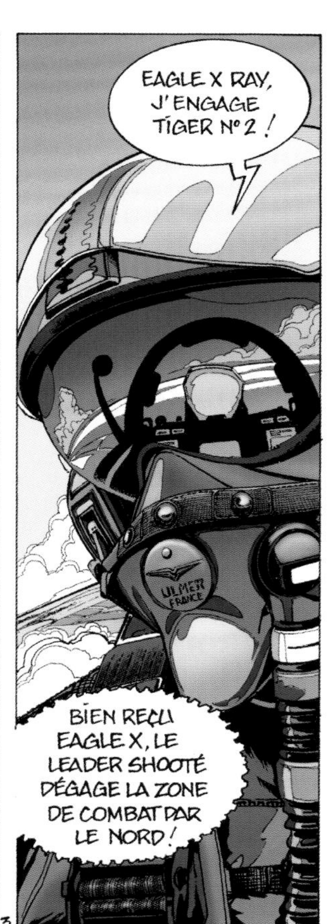
EAGLE X RAY, J'ENGAGE TIGER N°2 !
BIEN REÇU EAGLE X, LE LEADER SHOOTÉ DÉGAGE LA ZONE DE COMBAT PAR LE NORD !

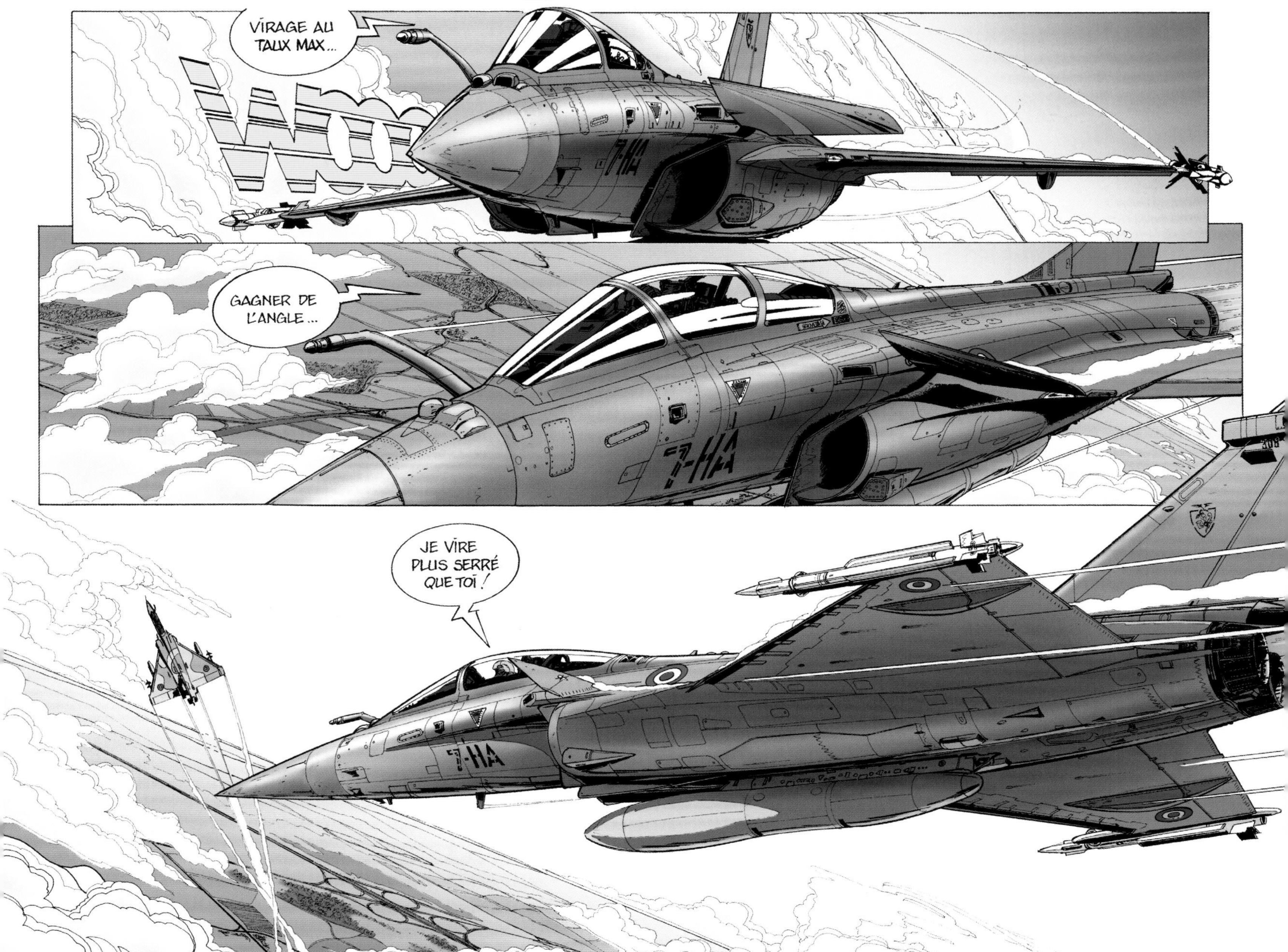
VIRAGE AU TAUX MAX...
GAGNER DE L'ANGLE...
JE VIRE PLUS SERRÉ QUE TOI !

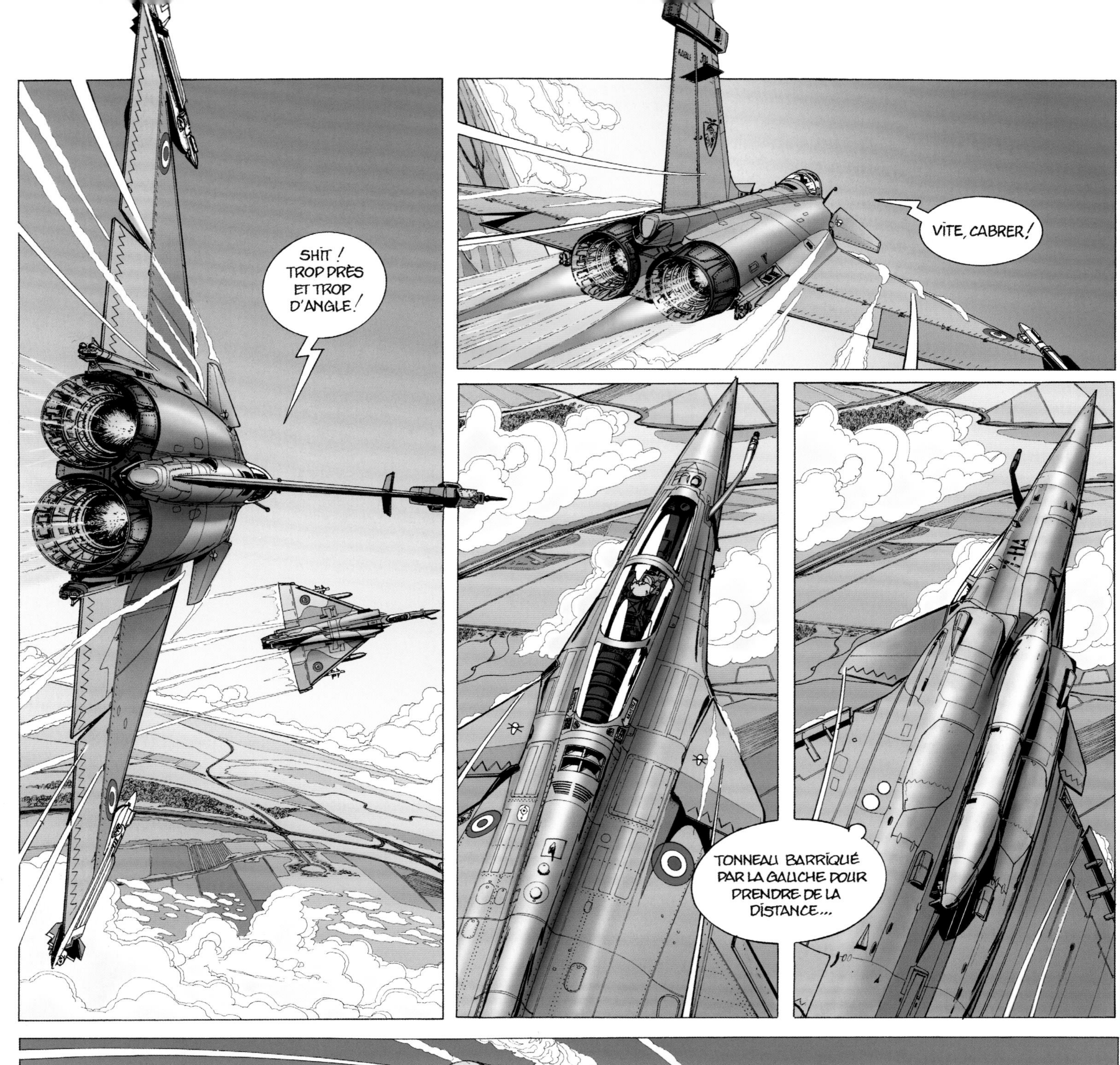
SHIT !
TROP PRÈS ET TROP D'ANGLE !
VITE, CABRER !
TONNEAU BARRIQUÉ PAR LA GAUCHE POUR PRENDRE DE LA DISTANCE...

WIIIIIIIIIIIIII
ENCORE QUELQUES DEGRÉS ET...

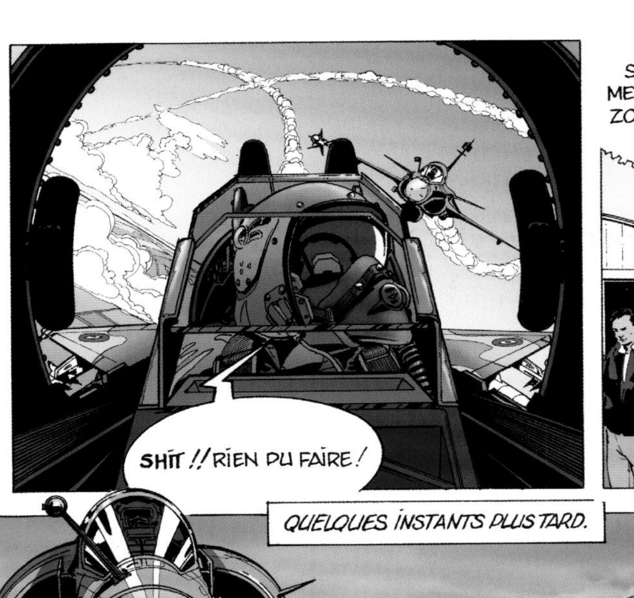

(1) RTB : RETURN TO BASE (EN RETOUR VERS LA BASE)

(1) RODIA : INDICATIF RADIO DE L'ORGANISME DE CONTRÔLE AÉRIEN MILITAIRE QUI GÈRE LE SUD-EST DE LA FRANCE.

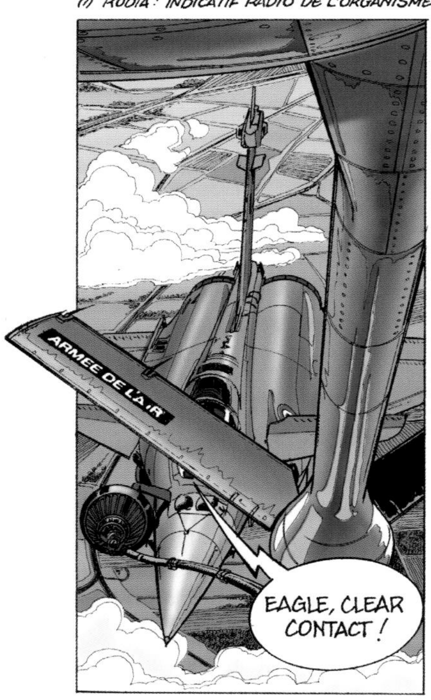

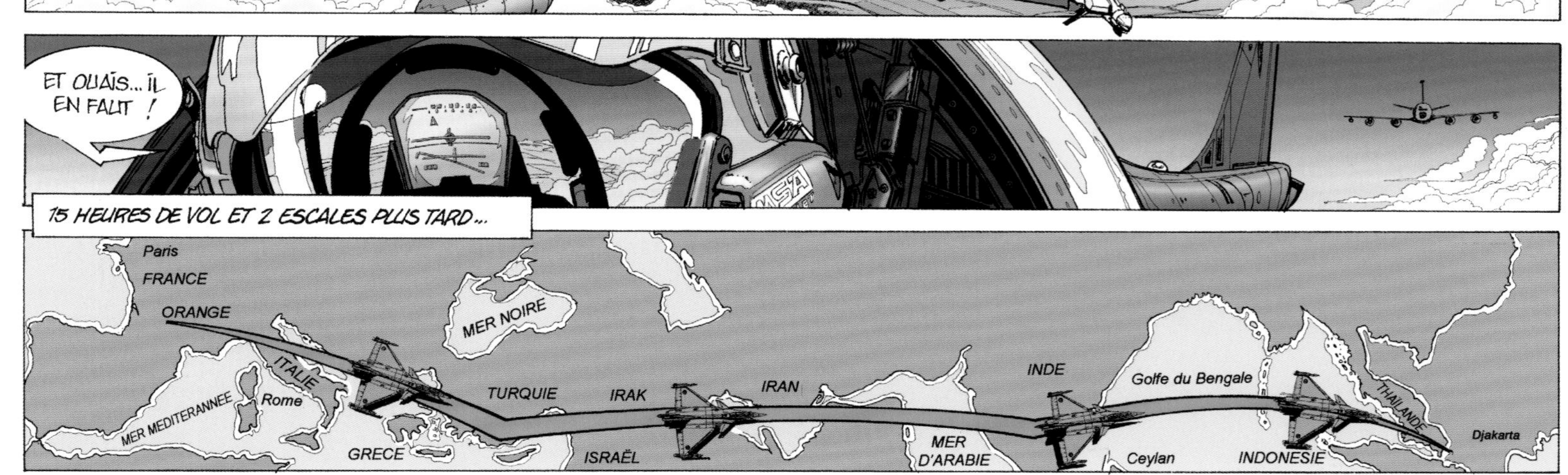

AÉROPORT INTERNATIONAL DE DJAKARTA
PAS FACHÉ D'ARRIVER !
WOOUUW

RAFALE, YOU PARK ON THE FRENCH AIR FORCE AERA, NEAR A MIRAGE 2000.
RAFALE WILCO !

TONIO, TROUVEZ-MOI UNE MASSEUSE D'URGENCE.
VOUS AVEZ DES PROBLÈMES DE LOMBAIRES MON CAPITAINE ? LE SERGENT-CHEF KOWALSKI ICI PRÉSENT FAIT ÇA TRÈS BIEN...

P'TIT MASSAGE MON CAPITAINE ?
PITIÉ, PAS LUI !

TANT QUE CE N'EST PAS SUR UN TATAMI, J'AI ENCORE DES BLEUS DE NOTRE DERNIER ENTRAÎNEMENT !
TU PRÉFÈRES QUE JE M'OCCUPE DE TOI ?

A PEINE ARRIVÉ ET TU TE PLAINS DÉJÀ ? SI C'EST UNE HÔTESSE DE L'AIR QUI TE MANQUE, FAUT VOYAGER EN BIPLACE, CAMARADE !

SALUT MA GRANDE !
SALUT TOM !

ALORS, COMMENT ÇA SE PRÉSENTE ?
LA BOUFFE EST BONNE, L'HÔTEL EST CLASSE, ÇA POURRAIT ÊTRE PIRE...
ET LES VOLS ?
Y'A DU BEAU MONDE, VA FALLOIR SE DÉFONCER POUR SORTIR DU LOT !

ON A DÉGOTÉ UNE PLACE DANS UN HANGAR POUR VOTRE BÉBÉ ! ON VA LE RENTRER TOUT DE SUITE ET ENLEVER LE BIDON !
TRÈS BIEN, PENDANT QUE VOUS Y ÊTES, MONTEZ LES PODS FUMIGÈNES.
ET LE CARBURANT ?
METTEZ DEUX TONNES, ÇA SUFFIRA POUR MON ENTRAÎNEMENT DÉMO DE DEMAIN.
BON, TU M'EMMÈNES BOIRE UN VERRE ?
DÈS QUE TU TE SERAS DOUCHÉ. JE NE VOUDRAIS PAS DIRE, MAIS TU COCOTTES MON POTE !
PLUS TARD, DANS LA SOIRÉE. HÔTEL TORAJA...
TOC TOC
ENTRE !
JE SAIS BIEN QUE TU AS DES GOÛTS DE LUXE, MAIS... UN SMOKING POUR ALLER BOIRE UN VERRE ?
COCKTAIL AU CONSULAT DANS TRENTE MINUTES. SAUTE DANS TON COSTARD, LE TAXI NOUS ATTEND EN BAS !
TIENS, POUR UNE FOIS, ON Y VA PAS EN UNIFORME ?
C'EST UNE SAUTERIE OFFICIEUSE, TENUE DISCRÈTE DE RIGUEUR.
DISCRÈTE, HEIN !
UN PEU DE STYLE NE NUIT PAS À LA PONDÉRATION.
HMM... DIVINEMENT PONDÉRÉ CE DÉCOLLETÉ !
REGARDE DEVANT TOI... TU VAS RATER LA MARCHE !
CLEARWAY
C
MITSUBISHI

DORIAN SCOTT
THE ROCKS CAFE
DJAKARTA. L'INDONÉSIE ET SES PLAISIRS EXOTIQUES !
OUI, M'AN !
RÊVE PAS TROP... JE TE RAPPELLE QUE TU VOLES DEMAIN. ALORS, COUCHÉ TÔT ET... SOBRE !
TOUJOURS AUSSI CANONS, LES INDONÉSIENNES !
HUMPH !
ET MOI, JE SUIS TOUJOURS CEINTURE NOIRE DEUXIÈME DAN DE KARATÉ !

DIS DONC, ROMÉO, QUAND TU SORS AVEC MOI, TU TE RETIENS DE MATER ET DE FAIRE CE GENRE DE COMMENTAIRE !
SI TU NE VEUX PAS QUE JE REGARDE AILLEURS, FAUDRAIT SONGER À ME TOUCHER AVEC BIEN AUTRE CHOSE QUE LES PARTIES CONTONDANTES DE TON CORPS SI VOLUPTUEUX !

ÇA, C'EST DANS TES RÊVES... JE TE RAPPELLE QUE JE SUIS MARIÉE. ET PAS AVEC TOI !
C'EST TOUT LE DRAME DE MA VIE !

CAPITAINE NOLANE ? CAPITAINE NATE ? JE SUIS LE COMMANDANT FRÉHEL, D.G.S.E. PUIS-JE VOUS PARLER UN INSTANT ?

ALLONS SUR LA TERRASSE, NOUS Y SERONS PLUS TRANQUILLES POUR BAVARDER ...
BIEN, JE SERAI DIRECT : DES MENACES TERRORISTES PÈSENT SUR LE MEETING. LA RÉGION EST UN TERRAIN PROPICE AUX RÉSEAUX RADICAUX. LA JEEMAAH ISLAMIYAH, ÇA VOUS DIT QUELQUE CHOSE ?

LES ATTENTATS DE BALI EN 2002 ?
PRÉCISÉMENT. POUR EUX, NOUS SOMMES DES CIBLES DE PREMIER CHOIX... DES IMPÉRIALISTES OCCIDENTAUX VENUS EXHIBER NOTRE TECHNOLOGIE MILITAIRE EN ASIE.

J'IMAGINE QUE CAUSER UN ATTENTAT MAJEUR ICI, PENDANT LE SALON AÉRONAUTIQUE, METTRAIT LE GOUVERNEMENT INDONÉSIEN DANS UN GRAND EMBARRAS VIS À VIS DE SES INVITÉS ÉTRANGERS...
CELA SERAIT EN EFFET TRÈS DÉSTABILISANT POUR LE GOUVERNEMENT ET SERVIRAIT LEUR PLAN !

QUI EST ?
CRÉER UN GRAND ÉTAT ISLAMIQUE QUI S'ÉTENDRAIT DE LA MALAISIE AUX PHILIPPINES !
OUHAOU... RIEN QUE ÇA !

ET NOUS, ON EST AU BEAU MILIEU DE CE MERDIER AVEC UNE CIBLE ÉPINGLÉE DANS LE DOS !
JE NE VOUS LE FAIS PAS DIRE.
CONCRÈTEMENT, VOUS NOUS PROPOSEZ QUOI ?

PAS GRAND-CHOSE, MALHEUREUSEMENT... JE N'AI AUCUN MANDAT, ICI. JE NE PEUX NI ENQUÊTER, NI ASSURER VOTRE PROTECTION. REDOUBLEZ DE VIGILANCE. C'EST TOUT CE QUE JE PEUX VOUS CONSEILLER ! JE VOUS SOUHAITE UNE AGRÉABLE SOIRÉE.

FONT CHIER CES TERRORISTES ! C'EST À VOUS COUPER L'ENVIE DE FAIRE LA FÊTE !
ÇA TOMBE BIEN, ON DOIT SE COUCHER TÔT. MAIS CE N'EST PAS CE QUI M'INQUIÈTE LE PLUS...
AH NON ? ET ON PEUT SAVOIR CE QUI T'INQUIÈTE PLUS QUE CES DINGUES ?

LA CONCURRENCE MALHONNÊTE. LE RAFALE FAIT DES JALOUX. BEAUCOUP DE JALOUX !

(1) LA RED LINE EST UNE LIMITE ASSURANT UNE PROTECTION TOTALE AU PUBLIC. LES AVIONS PEUVENT LA CÔTOYER, MAIS SUIVANT UNE TRAJECTOIRE PARALLÈLE AU PUBLIC. DE CETTE FAÇON, S'IL ARRIVE UNE PANNE OU UNE PERTE DE CONTRÔLE D'UN APPAREIL, LES SPECTATEURS NE SONT PAS MIS EN DANGER.

BIEN SERRÉ JE SUPPOSE ?
OUI, ÇA VA SECOUER AUJOURD'HUI !

MIRAGE, TAXI RUNWAY 7 LEFT BY TAXIWAY ALPHA, REPORT HOLDING POINT
DANGER
5-OX

VERRIÈRE FERMÉE, JESSICA LANCE LE SNECMA M.53 ET ALORS QU'IL MONTE EN TEMPÉRATURE, SE DIRIGE VERS LA PISTE D'ENVOL. LÀ-HAUT, LA PATROUILLE DE FRANCE OFFRE À UN PUBLIC RAVI UN FESTIVAL PARFAIT !
BON, RÉVISIONS... APRÈS LE DÉCOLLAGE, MONTÉE DANS L'AXE JUSQU'À 350 PIEDS, PUIS TONNEAU, OUVERTURE DROITE À 45° ET MONTÉE À 65°...

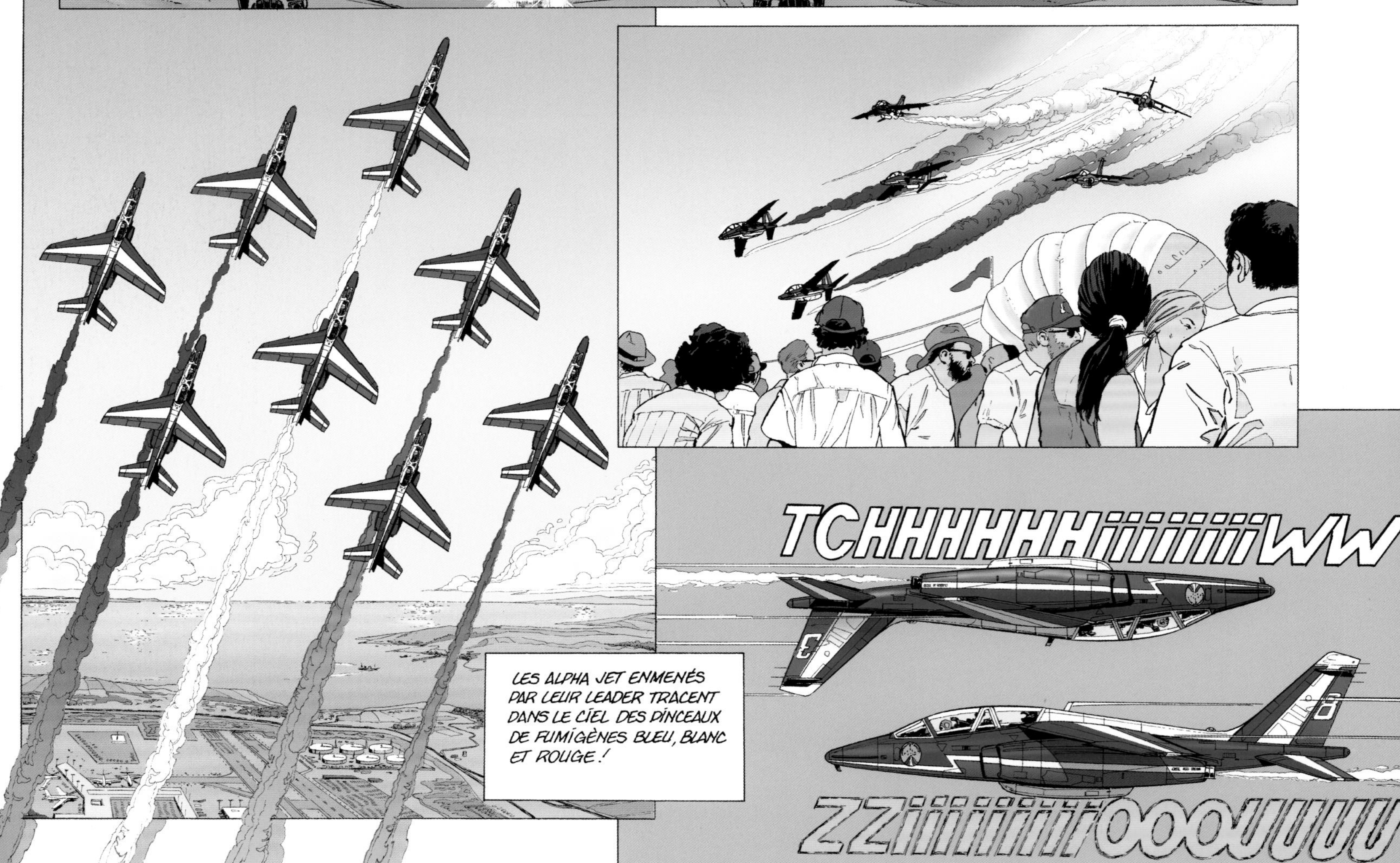
TCHHHHHHiiiiiiWW
LES ALPHA JET ENMENÉS PAR LEUR LEADER TRACENT DANS LE CIEL DES PINCEAUX DE FUMIGÈNES BLEU, BLANC ET ROUGE !
ZZiiiiiiiOOOUUUU

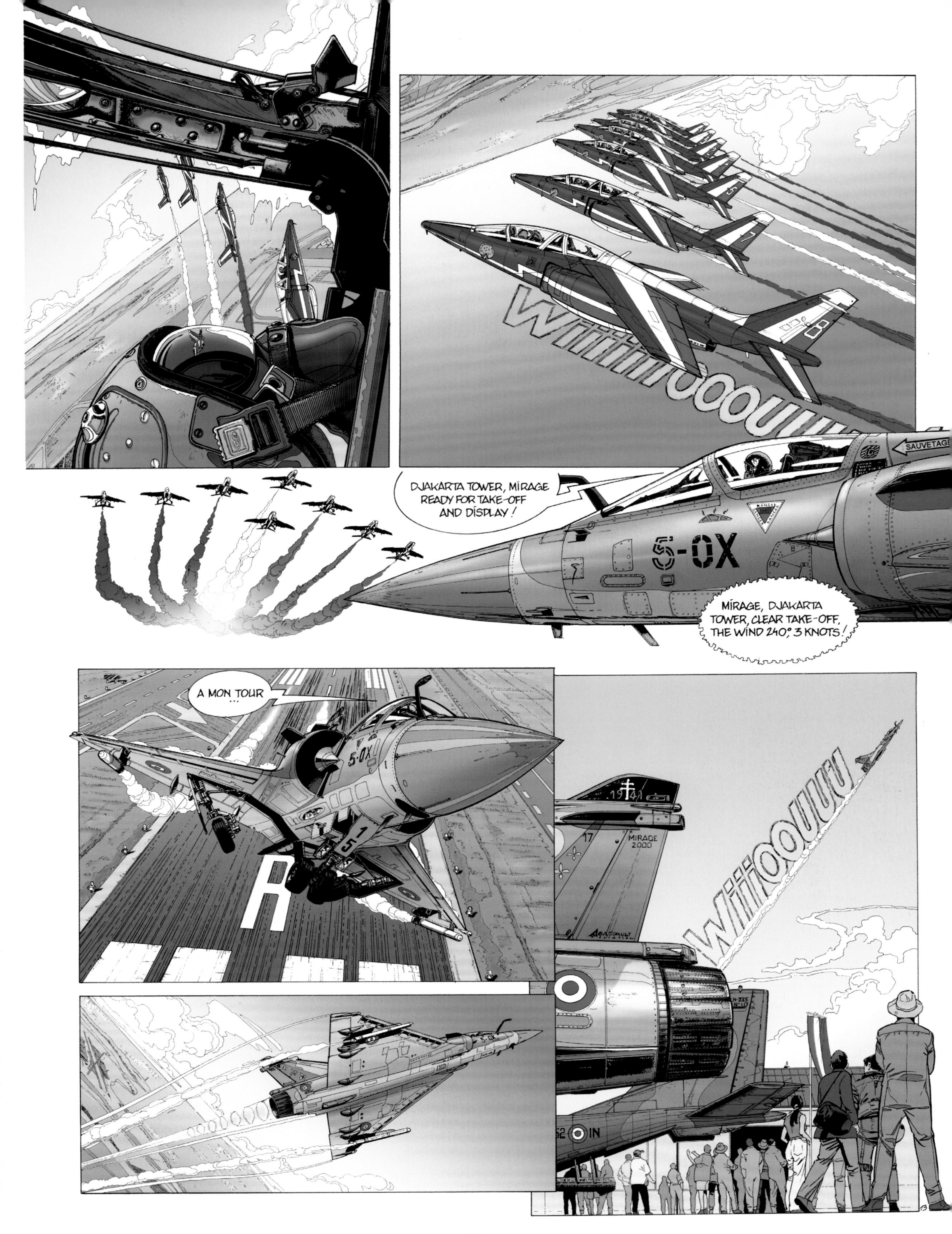
WIIIIIIOOOUUUU
DJAKARTA TOWER, MIRAGE READY FOR TAKE-OFF AND DISPLAY !
5-OX
SAUVETAGE
MIRAGE, DJAKARTA TOWER, CLEAR TAKE-OFF, THE WIND 240°, 3 KNOTS !
A MON TOUR ...
R
MIRAGE 2000
WIIIOOUUU

WHOOOOW
TRIITTRIIIIIT TIIITIII
TUUUTUUTUU TUUUTUU
QU'EST-CE QUE ?!?
LE CONTRÔLE... GARDER LE CONTRÔLE !
UNE PANNE DE CALCULATEUR !?!
BON DIEU, JE PERDS TOUTE LA PUISSANCE !

ON N'ENTEND PLUS RIEN !?
SI, LE RÉACTEUR TOURNE, MAIS AU RALENTI !
NOLANE
TROP RAPIDE... LES A.F. !
COUPER LES FUMIGÈNES ...
TRAIN SORTI 3 VERTES !
PAS QUESTION DE S'ÉJECTER !
DANGER
MIRAGE, YOU'RE NUMBER ONE !!
DJAKARTA TOWER, EMERGENCY ! EMERGENCY ! I REQUEST IMMEDIATE LANDING !
OUF !! POSÉ, PAS CASSÉ !
WIIIWIIII
TIOOU
TCHHIIIIIIIHP
QU'EST-CE QUI S'EST PASSÉ ?
5-OX
J'AI EU UNE PANNE DE MOTEUR, LE CALCULATEUR EST HS !
C'EST PAS COURANT, ÇA, COMME PROBLÈME...
PISTE

J'AI COMME UN MAUVAIS PRESSENTIMENT... TONIO, TROUVEZ CE QUI S'EST PASSÉ, ET VITE !
NOLANE
BON, ON VA VOIR ÇA DE PRÈS. KOWALSKI, ON RENTRE L'AVION AU HANGAR !

2-LD
TOI, VU TA COULEUR, JE CROIS QUE TU AS BESOIN D'UN VERRE !

ET VOTRE VOL, MON CAPITAINE ?
JE L'ANNULE. JE NE ME METTRAI EN L'AIR QUE LORSQUE JE SAURAI EXACTEMENT CE QUI EST ARRIVÉ À CET APPAREIL.
FRANCE

30 MINUTES PLUS TARD...
ALORS ?
ON A TROUVÉ ÇA ! ET ÇA NE VIENT PAS DE CHEZ DASSAULT AVIATION !

ON DIRAIT...
UN RÉCEPTEUR RADIO. IL ALIMENTAIT UN MINI DÉTONATEUR ET QUELQUES GRAMMES DE SEMTEX JUDICIEUSEMENT PLACÉS AUTOUR DU CALCULATEUR ÉLECTRONIQUE DU RÉACTEUR.

C'EST CE QU'ON PEUT APPELER DU SABOTAGE DE HAUTE PRÉCISION, GENRE CHIRURGICAL, SI JE PUIS DIRE... LE GENRE QUI VOUS FOUT DANS UNE MERDE NOIRE SANS EN AVOIR L'AIR !
SI JE M'ÉTAIS PLANTÉE, ON N'AURAIT JAMAIS RIEN SU ET TOUTE LA FAUTE SERAIT RETOMBÉE SUR L'AVION !

TONIO, JE VEUX UNE VÉRIFICATION MINUTIEUSE DE TOUS NOS APPAREILS, AVEC UNE PRIORITÉ POUR LE RAFALE. JE DOIS VOLER COÛTE QUE COÛTE DEMAIN MATIN À DIX HEURES !

QU'EST-CE QU'IL SE PASSE DEMAIN MATIN À DIX HEURES ?
JE FAIS UNE DÉMO DEVANT VINGT DÉLÉGATIONS ÉTRANGÈRES, LE MINISTRE DE LA DÉFENSE INDONÉSIEN, NOTRE CHEF D'ÉTAT MAJOR ET LES PONTES DE CHEZ DASSAULT !

16

RIEN QUE ÇA !
BUSINESS IS BUSINESS ET FAUT QUE ÇA VOLE !
ÇA VOLERA CHEF !

BON, AUTRE CHOSE... ÇA NE VA PAS FAIRE PLAISIR AUX GARS, MAIS... VA FALLOIR QUE L'ON MONTE LA GARDE NOUS-MÊMES.
JE VAIS ORGANISER DES TOURS DE GARDE !

JE PRENDS LE PREMIER.
VOUS RIGOLEZ BOSS ! UN PILOTE, ÇA DOIT DORMIR ! ON S'EN OCCUPE NOUS MÊMES !
VOUS BILEZ PAS MON CAPITAINE, ON EST ASSEZ NOMBREUX POUR S'ORGANISER.

VOUS ÊTES SYMPA LES GARS. MAIS ON EST TOUS DANS LE MÊME BATEAU !
SAUF QUE QUAND ÇA MERDE, VOUS ÊTES TOUT SEUL LÀ-HAUT ! ALLEZ VOUS DÉTENDRE, ON S'OCCUPE DE TOUT !

LE SOIR MÊME...
TA THÉORIE EST INTÉRESSANTE, MAIS QU'EST-CE QUI TE PROUVE QUE LA JEEMAH ISLAAMIYAAH N'EST PAS DERRIÈRE TOUT ÇA ?

TU N'AS PAS SUBI UN ATTENTAT, MAIS UN SABOTAGE... NUANCE !
JE TE RAPPELLE QUE DASSAULT AVIATION FAIT PARTIE DES CINQ CONSTRUCTEURS SÉLECTIONNÉS POUR ÉQUIPER L'ARMÉE DE L'AIR INDONÉSIENNE, AVEC EUROFIGTER, BOEING, LA CHENGDU AIRCRAFT CORPORATION CHINOISE ET LE TAIWANAIS AIDC...

CE MARCHÉ PORTE SUR UN MILLIARD DE DOLLARD US, MAIS SURTOUT, LE CHOIX DE DJAKARTA SERA DÉTERMINANT POUR TOUTES LES FORCES AÉRIENNES DE LA RÉGION... UN MARCHÉ AU FINAL D'ENVIRON DIX MILLIARDS !
DE QUOI TOURNER BIEN DES TÊTES !
JE NE TE LE FAIS PAS DIRE !

PENDANT CE TEMPS, À L'AÉROPORT...
...DANS UNE RUE DE DJAKARTA.
AH... LES CHARMES HYPNOTIQUES DE L'ASIE...
TU AS ENTENDU CE QU'A DIT TON MÉCANO : UN PILOTE, FAUT QUE ÇA DORME ! TU N'IRAIS QUAND MÊME PAS FAIRE LA FÊTE ALORS QUE TES HOMMES MONTENT LA GARDE ?
DÉONTOLOGIQUEMENT PARLANT, ÇA NE SERAIT PAS TRÈS CORRECT, JE L'AVOUE... CEPENDANT...
ALLER VIENS, JE VAIS TE BORDER !
SANS BLAGUE.
JE PLAISANTE !
JE M'EN DOUTAIS !

RR...ZZZ...
GLONG

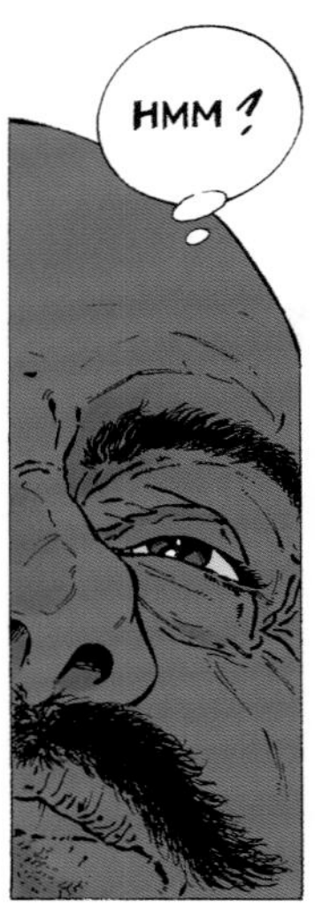
HMM ?

PUTAIN !? C'EST QUOI CE BORDEL ?

JE NE VOUDRAIS PAS CRITIQUER TA FAÇON DE JOUER, MON P'TIT, MAIS J'AI LA NETTE IMPRESSION QUE T'ES VRAIMENT PAS DOUÉ POUR LE POKER !
...TUUIIT TUUIIT...

OUAIS, KOWALSKI... QUOI ? DES TORTUES NINJA NOUS QUOI ? ATTAQUENT !? FAUT ARRÊTER LES JEUX VIDÉOS, MON GROS, ÇA TE BOUFFE LE CERVEAU !

AU MÊME MOMENT, EN VILLE...
MON VENTRE VA EXPLOSER ! SATAYS ET CONGEES DE RIZ, ÇA VOUS TUENT UN MEC !

QU'EST-CE QUE ?
187E 95
!?
SHIT !

BRAA
A L'ABRI !
V40-

BRAAAAAA
PAW
PAW
HAW

PAW
PAW

BRAAAA
!?

HAOW
PAW
PAW
PAW
BRAAA

BORDEL, ON EST EN PLEINE GUERRE DES GANGS OU QUOI !?
C'EST APRÈS NOUS QU'ILS EN ONT !
NOUS !?

IL FAUT QU'ON RÉCUPÈRE UNE ARME, SINON, ON EST MORT !
C'EST TROP LOIN, ON Y ARRIVERA PAS !

TCHIK
GLING
TCHIC
GLING
V30-TD 17
JE M'OCCUPE DU TYPE DE CE CÔTÉ, CHARGE-TOI DE L'AUTRE !
BRAAA

BRRAAAA
DERRIÈRE LES BAGNOLES EN STATIONNEMENT !

BRAA...
!?

HAOW!
QUE !?
HAW!
GLANG
VLAN
ÇA VA ?
J'AI VU... JOLI, TON URA-MAWASHI !
LE MIEN EST K.O. !
"ILS" SONT TOUJOURS VIVANTS !

OCCUPONS-NOUS DE CES DEUX-LÀ !
CELUI-CI EST OUT !
PAS L'AUTRE !
H51-2YA

QUI ÊTES-VOUS ?
BODY GUARD... COMMANDER FREH...

BON DIEU, LES AVIONS !
TU CROIS QUE...
POLICE
279H-14
8

MERDE ALORS, C'EST DES HOMMES DE FRÉHÉL ...
C'ETAIT !

LES FLICS... SI ON RESTE LÀ, ILS VONT NOUS EMBARQUER ! LE TEMPS QU'ILS Y COMPRENNENT QUELQUE CHOSE...
ET ON N'A PAS UNE SECONDE À PERDRE ! VIENS, ON FONCE À L'AÉROPORT !
DRIVE IN

J'ESPÈRE QUE JE ME TROMPE...
... MAIS J'AI UN TRÈS MAUVAIS PRESSENTIMENT. T'AS TON PORTABLE ?

TAXI
140V-17
TONIO, C'EST TOM, VOUS M'ENTENDEZ ?

PAS TRÈS BIEN. Y'A UN PEU DE BRUIT AUTOUR DE MOI !... OH TROIS FOIS RIEN, UNE PETITE ATTAQUE EN RÈGLE, MAIS VOUS BILEZ PAS. ON A DE QUOI LES RECEVOIR !
BRAA

QUOI !? UNE ATTAQUE ?
BON LÀ, FAUT QUE JE VOUS LAISSE... ILS ENVOIENT LES GAZ !
C'EST BON... TOUT EST CALME ! UN GROUPE AVEC MOI, L'AUTRE ICI ...

FISTON, METS TON MASQUE ! TU RESTES DERRIÈRE MOI ET TU FAIS GAFFE À NE PAS PRENDRE UNE BALLE DANS L'CUL !

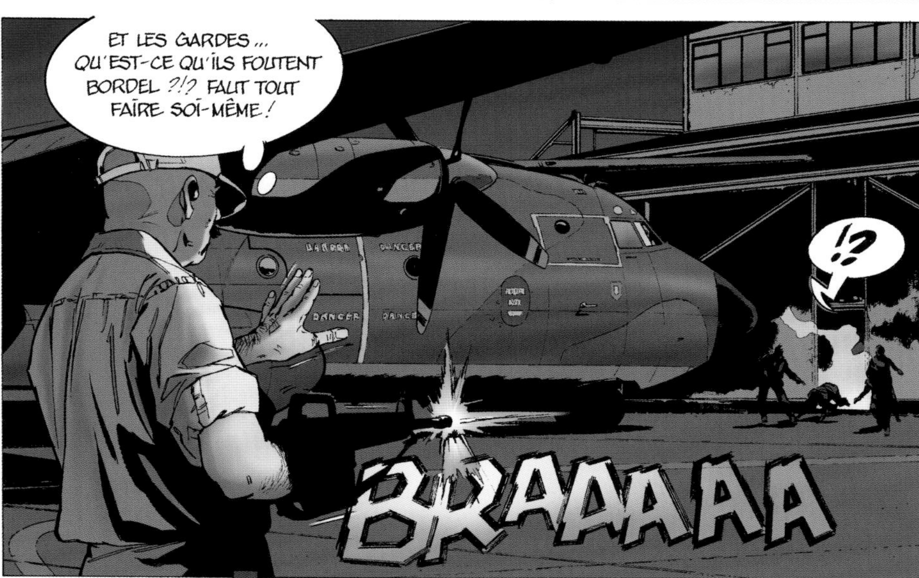
ET LES GARDES... QU'EST-CE QU'ILS FOUTENT BORDEL ?!? FAUT TOUT FAIRE SOI-MÊME !
!?
BRAAAAA

BRAAAA
À COUVERT ! D'OÙ IL SORT CELUI-LÀ ?
armée de TERRE
PUTAIN, HEUREUSEMENT QUE J'AI AMENÉ UN LOT DE RUSTINES !
BRAA
23

BLING
GLONG
BLONG
BRAAAAAA
FEU À VOLONTÉ !
BRAABRAA
VOUS NE VOUS ATTENDIEZ PAS À ÇA, HEIN BANDE DE CHACALS !

QUOI ?!? DÉJÀ LA RETRAITE ?
T'AS VU ÇA ? TROIS RAFALES ET... PFUIITT... PLUS PERSONNE !
FAUT DIRE QUE VOUS N'Y ÊTES PAS ALLÉS DE MAIN MORTE AVEC LA 12.7, MON ADJUDANT !
PLUS TARD, DANS LE HANGAR...
DÉSOLÉ, CAPITAINE... ON A FAIT CE QU'ON A PU !
A TROIS CONTRE DIX, C'EST UN MIRACLE QUE VOUS SOYEZ TOUS ENTIERS !

C'EST GRAVE ?
LE RÉACTEUR EST MORT... ON EN A UN DE RECHANGE DANS L'HERCULES, MAIS FAUT REBOUCHER LES TROUS DANS LE FUSELAGE ET ÇA, ÇA VA ÊTRE FOUTREMENT LONG !
JE DOIS IMPÉRATIVEMENT DÉCOLLER DEMAIN À DIX HEURES LOC POUR LA PRÉSENTATION ALPHA, ET AVANT, FAUDRAIT UN VOL D'ENTRAÎNEMENT !
QUESTION TIMING, JE NE VOUS CACHE PAS QUE ÇA VA ÊTRE TRÈS CHAUD !
JE VAIS VOUS OBTENIR DE LA MAIN D'OEUVRE, NE VOUS EN FAITES PAS !
OKAY, "KOKO", RAMEUTE TOUT LE MONDE ET FAIS CHAUFFER LE CAFÉ ON A DU PAIN SUR LA PLANCHE !

JESS, APPELLE LE CHEF DE DÉTACHEMENT ET METS-LE AU COURANT DE LA SITUATION. QUANT À MOI, J'APPELLE LA PATROUILLE DE FRANCE. JE VAIS RÉQUISITIONNER LEURS MÉCANOS !
OKAY... GRAND CHEF !

UNE HEURE PLUS TARD...
21 04 2007

ET BIEN, C'EST INCROYABLE QU'IL N'Y AIT PAS EU PLUS DE DÉGÂTS !
NI DE MORT OU DE BLESSÉ DANS NOS RANGS !
JE VAIS TÂCHER D'EN SAVOIR PLUS SUR CE COMMANDO. IL EST VITAL DE SAVOIR QUI EST À L'ORIGINE DE CES DEUX ATTENTATS.
JE NE PENSE PAS QUE DES TERRORISTES SOIENT DERRIÈRE TOUT CE BORDEL !

ILS S'EN SERAIENT PRIS AU VRAI SYMBOLE DE LA FRANCE... SA PATROUILLE !
ADMETTONS. VOUS PENSEZ À QUI ALORS ?
À QUELQU'UN QUI NE VEUT PAS VOIR DASSAULT REMPORTER LE MARCHÉ. UN CONSORTIUM CONCURRENT, PAR EXEMPLE !

NOLANE ET NATE, UN VÉHICULE VA VOUS RECONDUIRE À VOTRE HÔTEL... DORMEZ UN PEU. PENDANT CE TEMPS, FRÉHEL ET MOI ALLONS MENER NOTRE PETITE ENQUÊTE.
ON S'EN TIRE BIEN, FINALEMENT !
ON PEUT ESPÉRER QU'ILS NE TENTERONT PLUS RIEN !
OUAIS, ON PEUT DIRE ÇA !
ÇA, N'EN SOIS PAS SI SÛRE. QUELQUE CHOSE ME DIT QUE CES ENFOIRÉS ONT DE LA RESSOURCE...
9
3

25

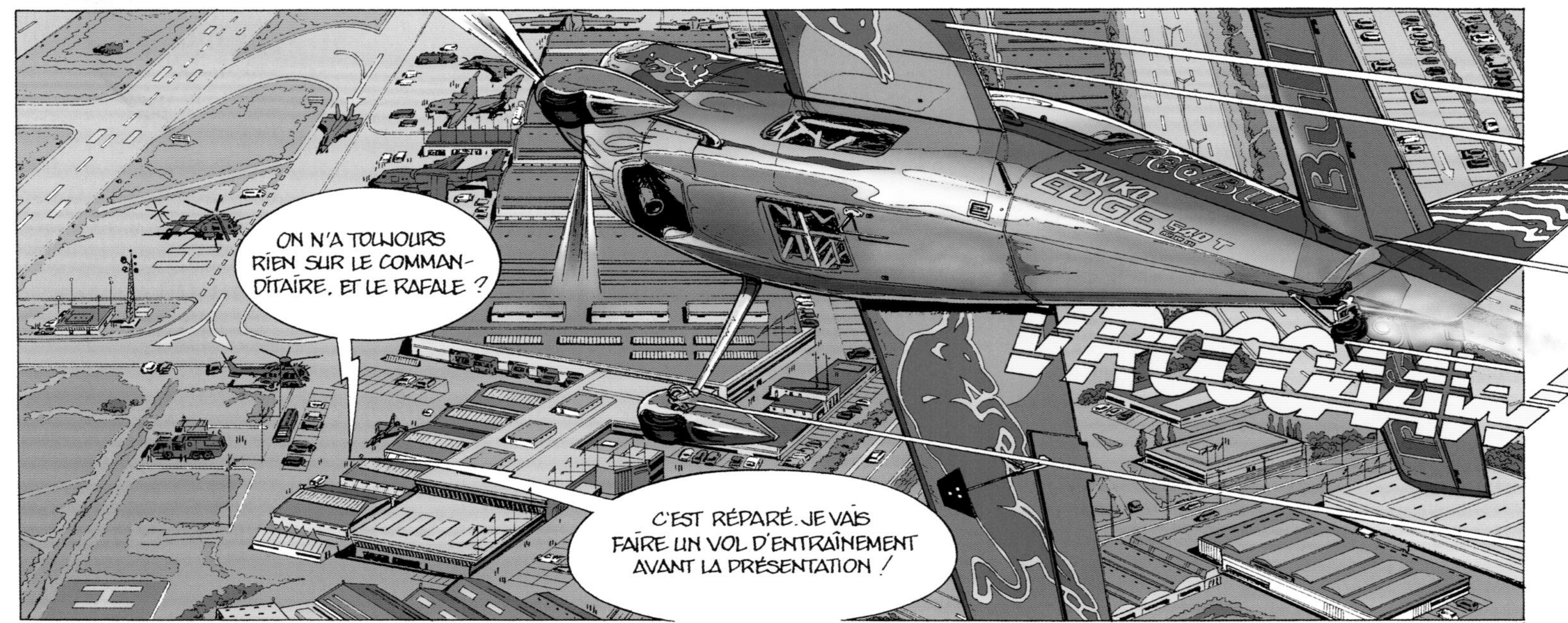

(1) LE RAFALE EST ÉQUIPÉ DE 2 TURBORÉACTEURS SNECMA M88-2, D'UNE POUSSÉE UNITAIRE DE 7,4 TONNES AVEC POST-COMBUSTION.

(2) TOUS LES VOLS DE PRÉSENTATION SE FONT À VUE. LES PILOTES PRENANT DES REPÈRES AU SOL POUR LEURS MANOEUVRES ACROBATIQUES, QUI CHANGENT BIEN SÛR EN FONCTION DES AÉROPORTS.

(1) DJAKARTA TOUR DU RAFALE, PRÊT À ROULER.
(2) RAFALE, DJAKARTA, ROULEZ POUR LA PISTE 20 DROITE, QFE 1002 (PRESSION ATMOSPHÉRIQUE DU TERRAIN, EN HECTOPASCAL), QNH (PRESSION ATMOSPHÉRIQUE AU NIVEAU DE LA MER), RAPPELEZ AU POINT D'ATTENTE.
(3) JX : INDICE DE POUSSÉE QUI INDIQUE LA BONNE SANTÉ DU RÉACTEUR.
(4) DJAKARTA TOUR DU RAFALE, JE MONTE AU NIVEAU 100 (10.000 PIEDS, SOIT 3.000 MÈTRES) AVANT LA DÉMO.

(1) RAFALE, J'ATTEINS LE NIVEAU 100 ET JE DÉBUTE LES MANOEUVRES.

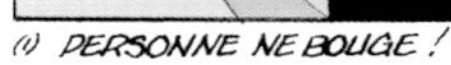
(1) PERSONNE NE BOUGE !

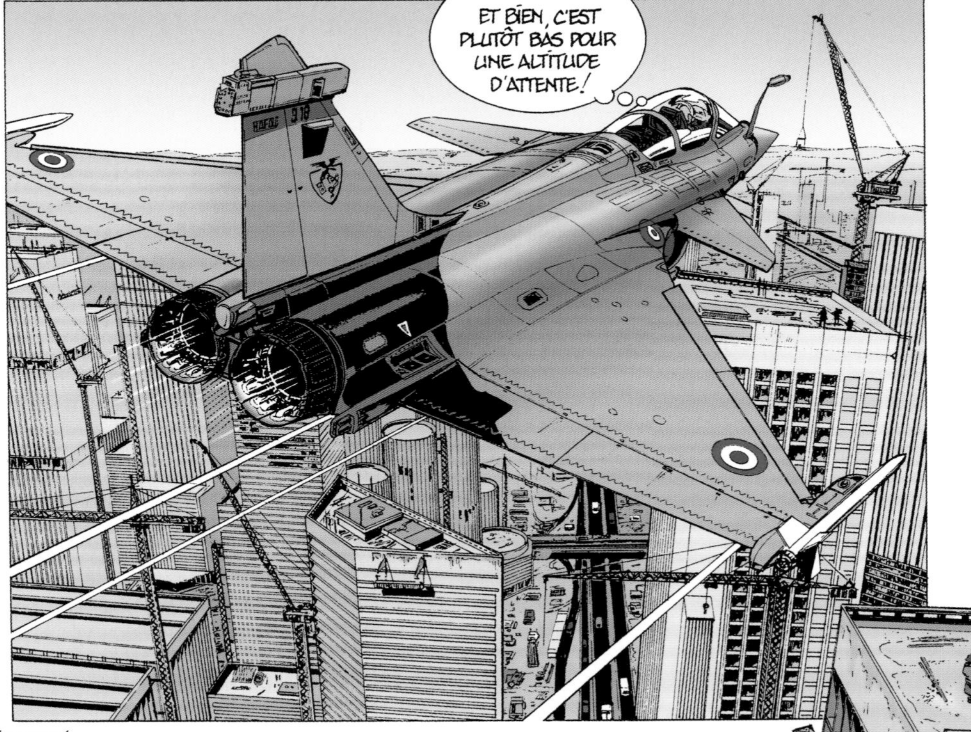

(1) RAFALE, STOPPEZ IMMÉDIATEMENT VOS ÉVOLUTIONS, J'AI UN 747 EN DÉTRESSE !
(2) METTEZ-VOUS EN ATTENTE SUR LE POINT DELTA, À 1000 PIEDS (300 MÈTRES).
(3) REÇU, MAINTENEZ POSITION, JE VOUS RAPPELLE APRÈS L'URGENCE !

TIENS, QU'EST-CE QUE C'EST QUE ÇA ?
NON DE D...!!
FLAOW
JESSICA, OÙ EST DONC PASSÉ LE RAFALE ET C'EST QUOI CE BORDEL DANS LE PROGRAMME ?
I AM UNDER ATTACK BY SAM(1) !
QUOI !?
MAYDAY ! MAYDAY !
(1) SAM : MISSILE SOL-AIR
JE N'AI PAS DE LEURRES, SI JE CABRE, JE SUIS MORT !
UNE SEULE SOLUTION : PLONGER ENTRE LES TOURS !

TOM !! QU'EST-CE QU'IL SE PASSE !?

IL SE PASSE QUE JE SUIS TOMBÉ DANS UN PIÈGE !
BAOM

UN PUTAIN DE PIÈGE !!
SCCHHHHH
SCHHHHH

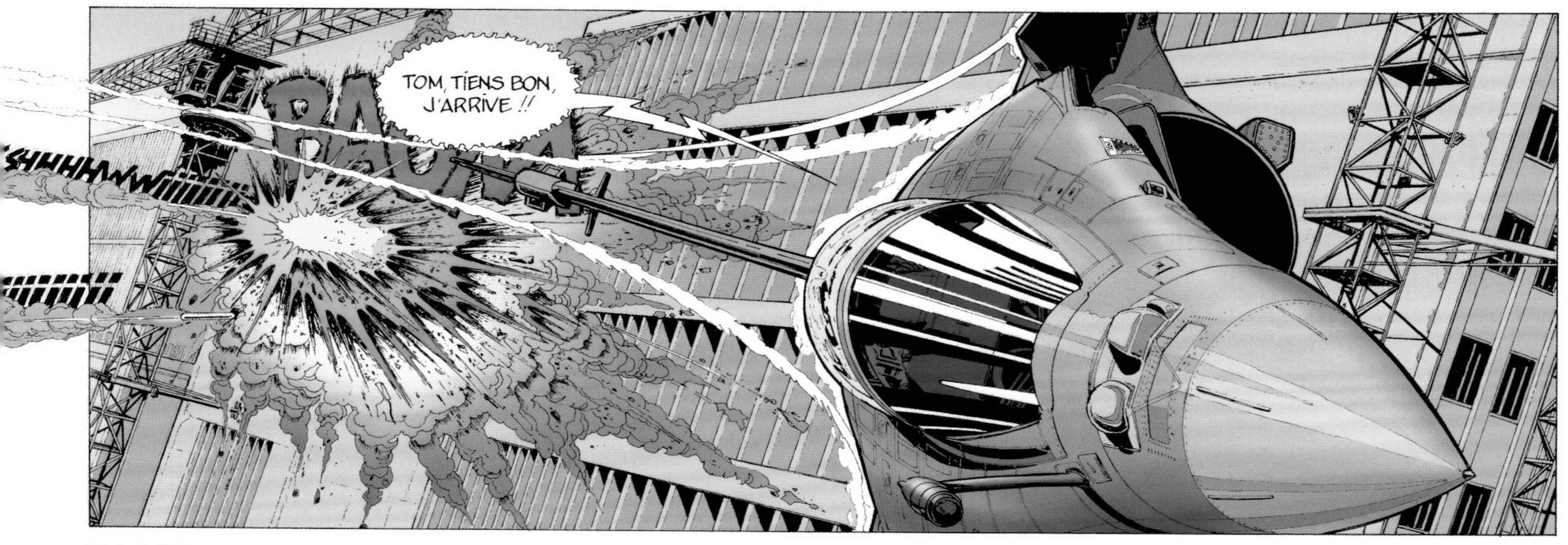
TOM, TIENS BON, J'ARRIVE !!

JESSICA, LE TEMPS QUE TU FASSES ARMER TON 2000...

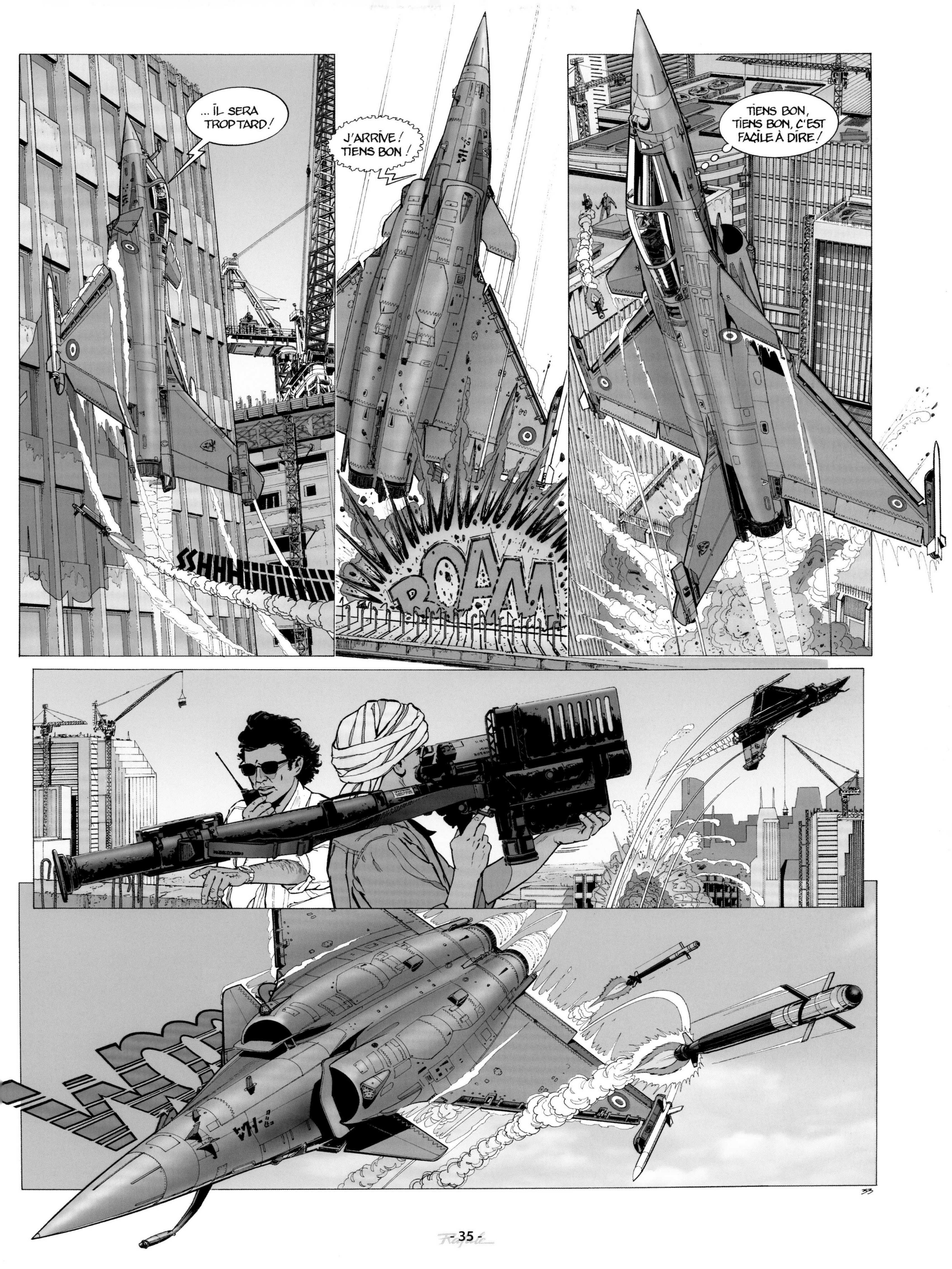
... IL SERA TROP TARD !
SSHHIIIIIIIII
J'ARRIVE ! TIENS BON !
ROAM
TIENS BON, TIENS BON, C'EST FACILE À DIRE !

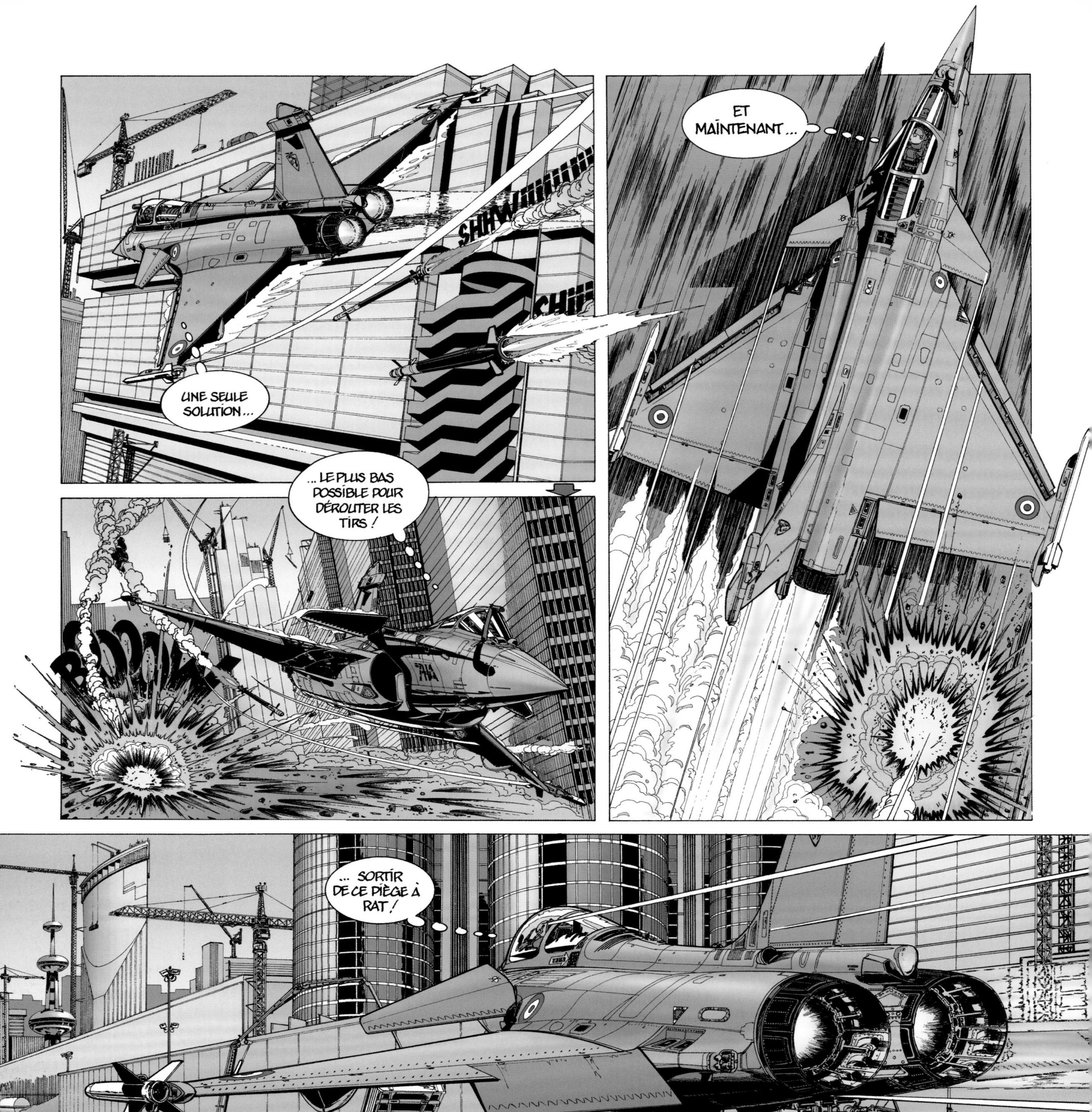
UNE SEULE SOLUTION ...
... LE PLUS BAS POSSIBLE POUR DÉROUTER LES TIRS !
ET MAINTENANT ...

... SORTIR DE CE PIÈGE À RAT !
CAT 631E

PAPAPAPAPAPAPAPAPAPAPAPA
Wiiiiiiiiiiiiii

COME ON ASHOLE !

C'EST PAS VRAI !?
CAT

BRAA BRAAAATATAA
7-HA

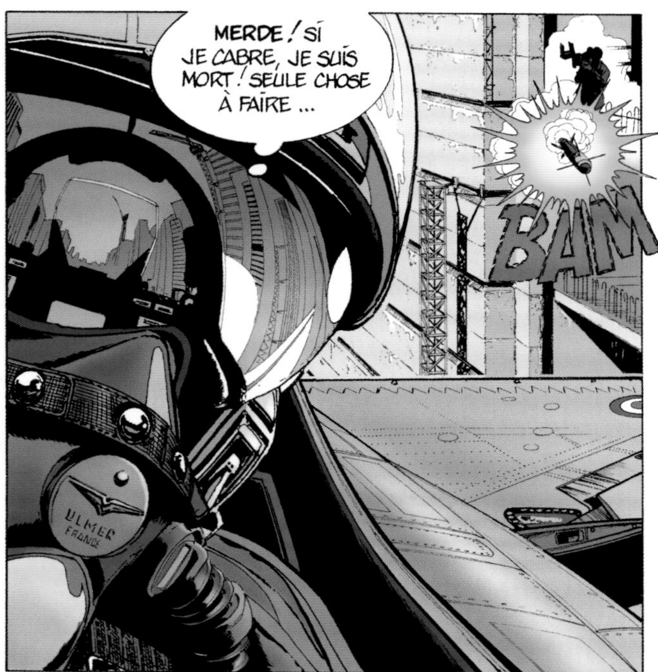

(1) PC : POST-COMBUSTION (SYSTÈME D'INJECTION DE CARBURANT DANS LA TUYÈRE, CE QUI AUGMENTE TRÈS FORTEMENT LA POUSSÉE)

36

Rafale

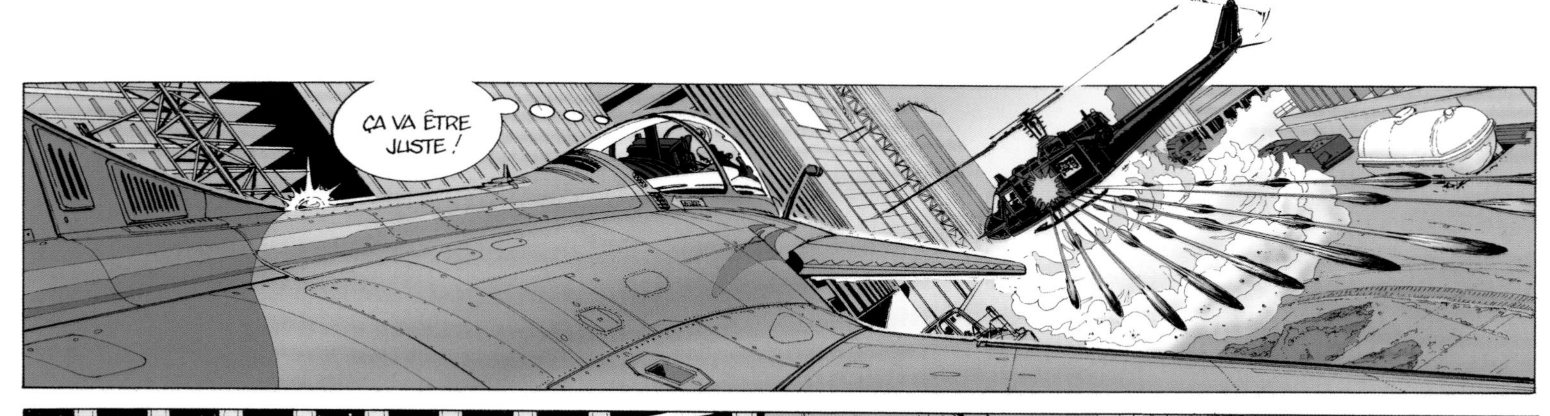
ÇA VA ÊTRE JUSTE !

?!?....
NNNOON!

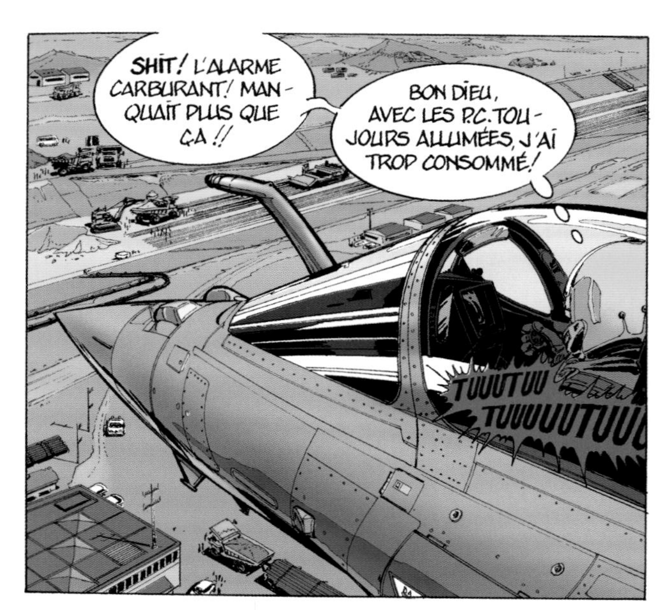
SHIT! L'ALARME CARBURANT! MANQUAIT PLUS QUE ÇA !!
BON DIEU, AVEC LES P.C. TOUJOURS ALLUMÉES, J'AI TROP CONSOMMÉ!
TUUUTUU
TUUUUUTUUU

CAT
ZZOOO WIIIIII
PAS LE CHOIX, FAUT QUE JE ME POSE. CE CANAL EN BÉTON FERA L'AFFAIRE!

MAIS D'OÙ IL SORT CELUI-LÀ !?
7-HA
WWIIIIII

TOI, MON POTE...
BRAAAATA BRAAAABRAAAAATTAATAA
...TU VAS VOIR!
JE TE RÉSERVE...
ABRAAATATAAAAA-AATAAAATAA

UNE PETITE SURPRISE ?

MANCHE AU BAQUET ET...
?!?

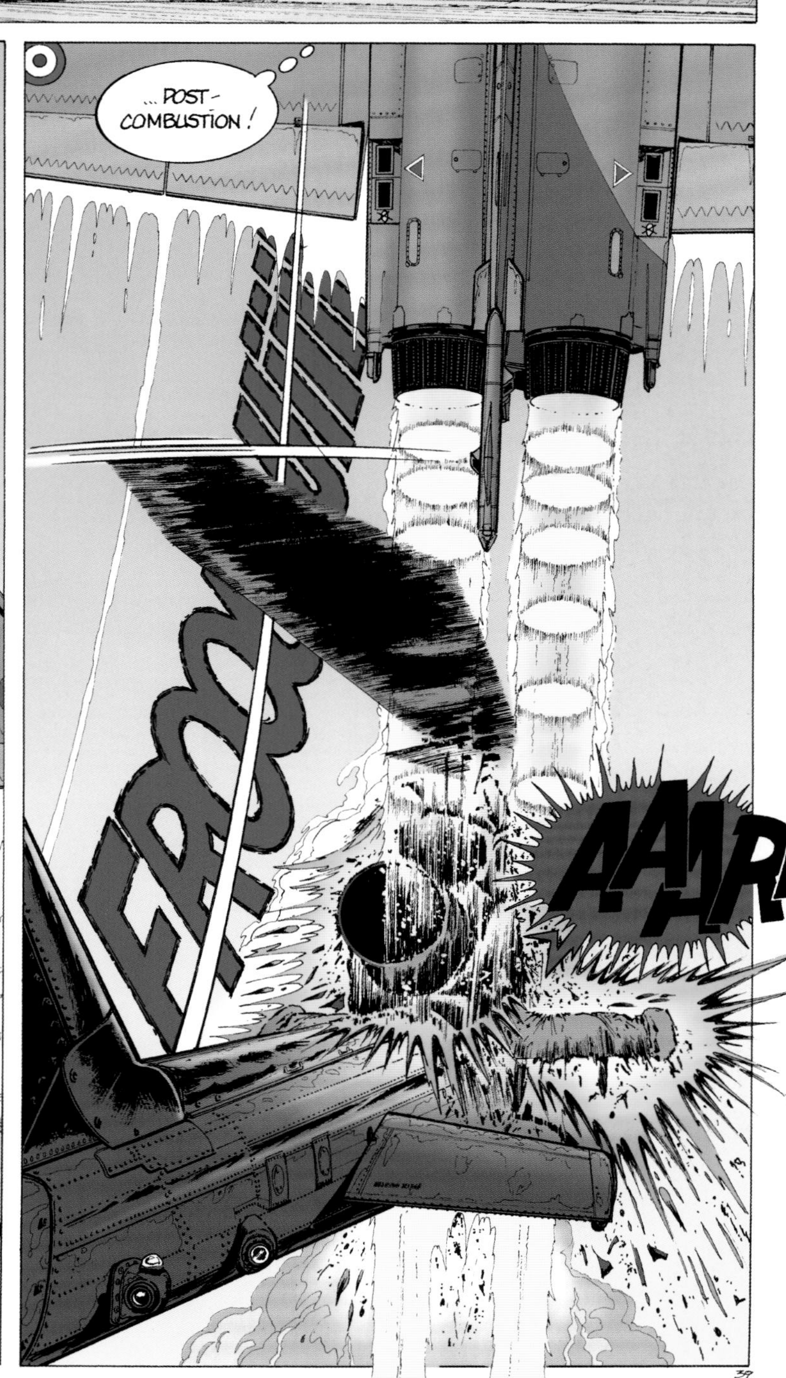
... POST-COMBUSTION !
AAARHH

TUUU-TUUU-
TUUU-TUUUT
TUUUU-TUUU
TUUU-TUUU
SHIT! PANNE SÈCHE !!

PAS DROIT À L'ERREUR SUR CE COUP LÀ!

L'HÉLICO BLOQUE LE CANAL... PAS D'AUTRE CHOIX QUE L'AUTOROUTE.

CATERPILLAR
TCHIIIII
CAT
D300

AÏE! AÏE! AÏE!

WOUAH ! TOUT JUSTE... J'AI PLUS UN POIL DE SEC, MOI !

MAIS ILS NE LÂCHENT JAMAIS CEUX-LÀ...
JAMAIS VU DES ENRAGÉS PAREILS !
JESSICA... T'ES DANS LE COIN ?

LA CAVALERIE À LA RESCOUSSE !!
JE SUIS POSÉ SUR UN PONT AU NORD DE LA ZONE.
5-OX
J'AI VISUEL !

IL Y A DEUX VÉHICULES QUI ME FONCENT DESSUS !
T'ES ARMÉE ?
JE LES VOIS !
PAS EU LE TEMPS !
JE NE SAIS PAS CE QUE TU COMPTES FAIRE SANS ARMEMENT, MAIS...
T'INQUIÈTE !

BOUCHE TES OREILLES, ÇA VA DÉCOIFFER !
COUCOU LES MECS !
BAOM
ET UN BANG SONIQUE, UN !
WIIIIOOOUUUUIIIIII
QUELQUES MINUTES PLUS TARD...
ZZWIIIIIIIIIII

CONTENT DE VOUS VOIR LES MECS !
SALUT BOSS ! ALORS, ON FAIT LE COUP DE LA PANNE? SI ENCORE VOUS AVIEZ EMMENÉ UNE JOLIE FILLE...

DITES-DONC, LE TIGRE, ÇA SERAIT PAS UN BIPLACE PAR HASARD ?
DANS L'URGENCE, ON N'A RIEN TROUVÉ D'AUTRE...
LE GROS ET MOI, ON A JOUÉ LES SARDINES SUR LE SIÈGE ARRIÈRE !

À PART ÇA, VOUS AVEZ PRIS DES BASTOS ?
AUSSI INCROYABLE QUE CELA PUISSE PARAÎTRE, MALGRÉ TOUT CE QUE CES SALOPARDS M'ONT BALANCÉ, IL N'Y A PAS UN SEUL IMPACT !
ET BEN, VOUS AVEZ UNE VEINE DE COCU MON CAPITAINE !
SAUVETAGE
5-0X

BON, JE NE VOUDRAIS PAS VOUS PRESSER LES GARS, MAIS JE SUIS UN PEU À LA BOURRE !
OKAY, ON VOUS FAIT LE PLEIN, LES NIVEAUX ET LE PARE-BRISE !

KOWALSKI, MAGNE-TOI MON GROS !
VOILÀ, VOILÀ !
TON TUYAU EST ASSEZ LONG, AU MOINS ?

43

ET LES SHA-DOCKS POMPAIENT, POMPAIENT...
TRÈS DRÔLE !

MON COLONEL ? CAPITAINE NOLANE... OUI, TOUT VA BIEN... NON, LE RAFALE N'A RIEN !

NON... LES TERRORISTES SE SONT ENFUIS SANS TUER PERSONNE... ILS N'EN AVAIENT QU'APRÈS VOUS... LE DIRECTEUR DE L'AÉROPORT A DÉCIDÉ D'ÉTOUFFER L'AFFAIRE... OUI, ÇA VEUT DIRE QUE VOTRE PRÉSENTATION ALPHA EST MAINTENUE POUR DIX HEURES LOC'...

C'EST DANS QUARANTE MINUTES... JE NE VOUS CACHE PAS QUE ÇA VA ÊTRE DIFFICILE, MON COLONEL !
FAITES POUR LE MIEUX, NOLANE...

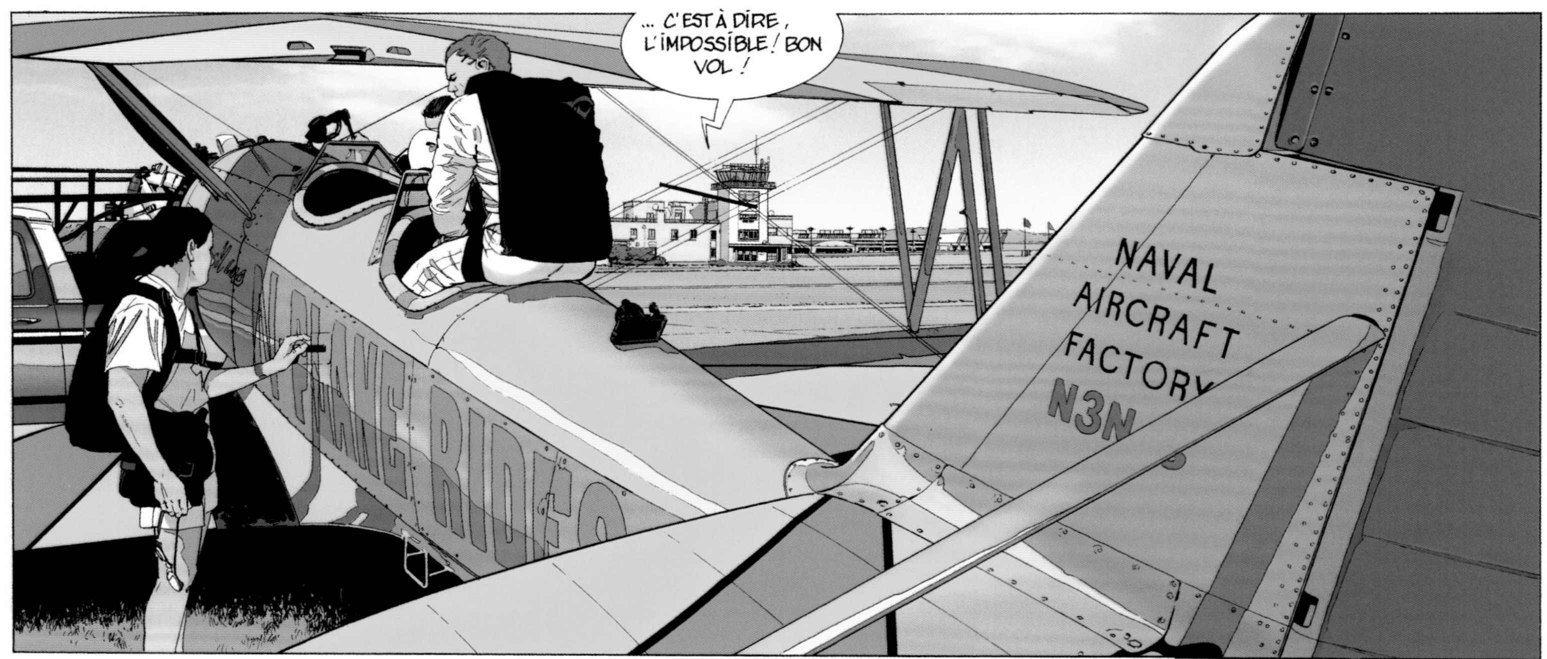
... C'EST À DIRE, L'IMPOSSIBLE ! BON VOL !
NAVAL AIRCRAFT FACTORY
N3N

VINGT MINUTES PLUS TARD...
ON JOUE CONTRE LA MONTRE. JE FONCE ME RAVITAILLER À L'AÉROPORT. PRÉVENEZ L'ÉQUIPE, QU'ILS SOIENT PRÊTS DÈS QUE J'ARRIVE !
C'EST COMME SI C'ÉTAIT FAIT ! BON VOL !
ZZZiiiiiiiiiii

DJAKARTA TOWER, RAFALE REQUEST IM-MEDIAT LANDING FOR REFUELLING !
RAFALE, YOU ARE NUMBER ONE !
388

LA TRIBUNE... BON DIEU, LES OFFICIELS S'INS-TALLENT DÉJÀ... ÇA VA ÊTRE TRÈS, TRÈS JUSTE...
2

VITE LES GARS, METTEZ-MOI DEUX TONNES DE JUS EN VITESSE !
7-HA
TOUT DE SUITE MON CAPITAINE !

ÇA VA TOM ?
JE TE DOIS UNE FIÈRE CHAN-DELLE MA BELLE ! À CHARGE DE REVANCHE !
J'ESPÈRE BIEN, BEAU GOSSE !

DEUX MINUTES PLUS TARD...
TOUT EST PARÉ !
DJAKARTA TOWER, RAFALE READY FOR TAKE-OFF AND DISPLAY (1)
METS-LEUR EN PLEIN LA VUE.
COMPTE SUR MOI !
(1) DJAKARTA TOUR, RAFALE PRÊT POUR LE DÉCOLLAGE ET LA PRÉSENTATION ALPHA !
(2) RAFALE, AUTORISÉ AU DÉCOLLAGE, LE VENT EST CALME !
RAFALE, CLEAR FOR TAKE-OFF, THE WIND IS CALM ! (2)
C'EST PARTI POUR LA DÉMO !
46
Dessin: Eric Loutte
Scénario: Frédéric Zumbiehl
Couleurs: Sylvaine Scomazzon
Participation aux décors: Daniel Bay
Participation à l'encrage de personnages: Palmisano Leonardo
Remerciements pour la documentation:
HUMMER OFF-ROAD s.a
Virginie Brennenraedts/CATERPILLAR
Marc Loward
Herstal group
Drop Zone magazine

Présentation Alpha

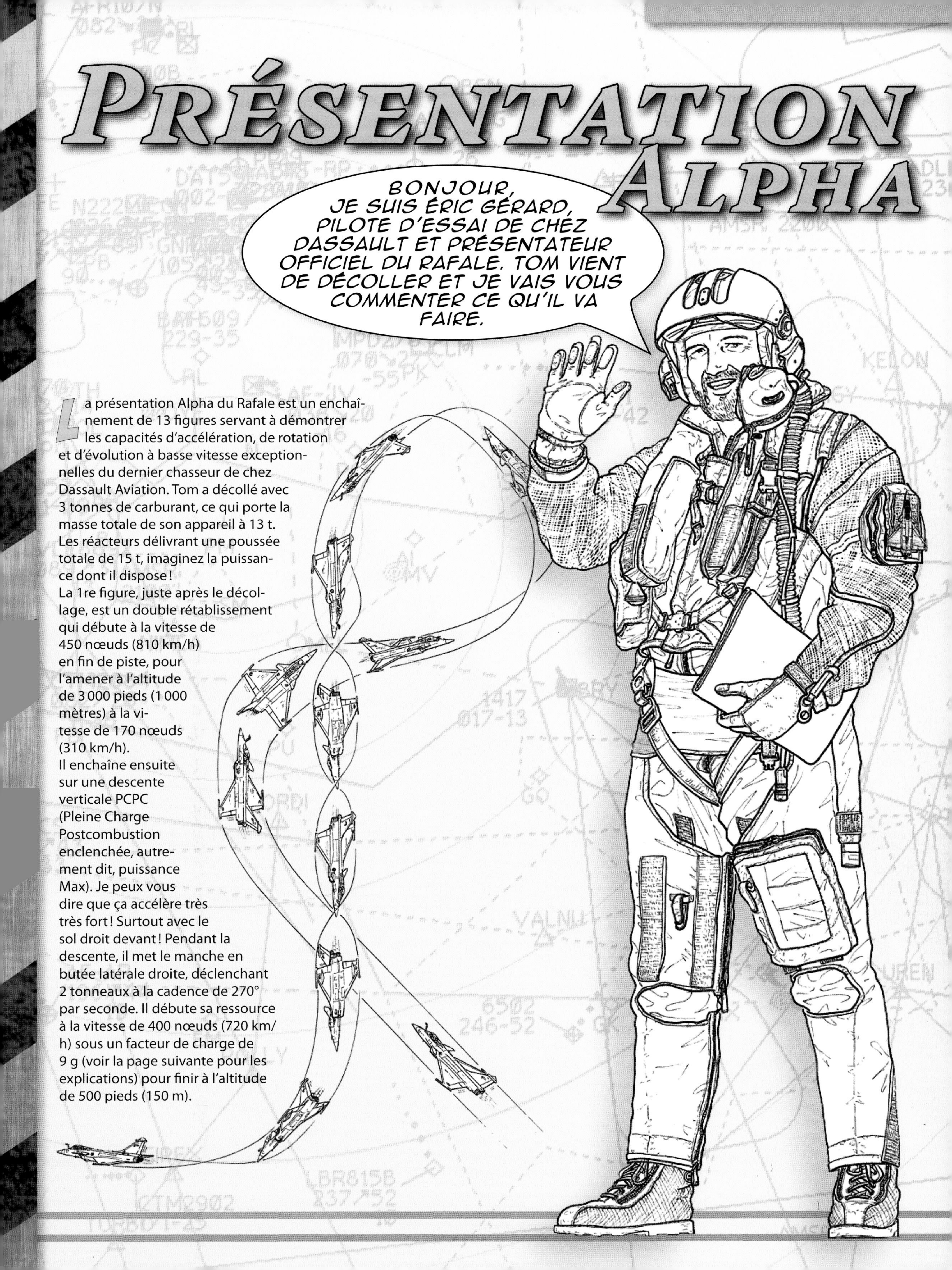

La présentation Alpha du Rafale est un enchaînement de 13 figures servant à démontrer les capacités d'accélération, de rotation et d'évolution à basse vitesse exceptionnelles du dernier chasseur de chez Dassault Aviation. Tom a décollé avec 3 tonnes de carburant, ce qui porte la masse totale de son appareil à 13 t. Les réacteurs délivrant une poussée totale de 15 t, imaginez la puissance dont il dispose !

La 1re figure, juste après le décollage, est un double rétablissement qui débute à la vitesse de 450 nœuds (810 km/h) en fin de piste, pour l'amener à l'altitude de 3 000 pieds (1 000 mètres) à la vitesse de 170 nœuds (310 km/h).

Il enchaîne ensuite sur une descente verticale PCPC (Pleine Charge Postcombustion enclenchée, autrement dit, puissance Max). Je peux vous dire que ça accélère très très fort ! Surtout avec le sol droit devant ! Pendant la descente, il met le manche en butée latérale droite, déclenchant 2 tonneaux à la cadence de 270° par seconde. Il débute sa ressource à la vitesse de 400 nœuds (720 km/h) sous un facteur de charge de 9 g (voir la page suivante pour les explications) pour finir à l'altitude de 500 pieds (150 m).

FACTEUR DE CHARGE

Le facteur de charge (dénommé « G »), est le rapport entre la charge totale supportée par le pilote (et l'avion) et son poids réel. Il est causé par la force centrifuge appliquée à tout mobile dès lors qu'il ne suit pas une ligne droite.
Lors d'un simple virage à 60° d'inclinaison, un pilote de 75 kg habillé de 12 kg d'équipement (soit 87 kg), va donc peser 174 kg sous 2 G. Mais lors d'un combat aérien ou d'une séance de voltige à 9 G, son poids sera multiplié par 9 ! À chaque figure serrée de la présentation Alpha, Tom pèse… 783 kg ! Heureusement, le siège du Rafale est très incliné, ce qui permet de mieux supporter les G.
Les G positifs (lorsque le pilote tire sur le manche) provoquent une terrible sensation d'écrasement. Mais un 2e effet pervers vient s'ajouter : le transfert de la masse sanguine. Lors d'une accélération positive, le sang se déplace de la tête vers les jambes. Le pantalon anti-G se gonfle automatiquement, comprimant fortement les cuisses afin de limiter le mouvement du sang, mais celui-ci finit par refluer vers le bas, et hors du cerveau : c'est alors le fameux voile noir, qui peut aller jusqu'à la perte de connaissance.
Inversement, lorsque le pilote pousse sur le manche, la force s'exerce des pieds vers la tête. Il a alors la très désagréable sensation que ses yeux vont sortir de leurs orbites et que sa tête va éclater ! Certains pilotes ont même de petits vaisseaux capillaires qui éclatent dans le blanc des yeux, leur donnant un regard de lapin albinos du plus bel effet ! Succès garanti auprès des filles !

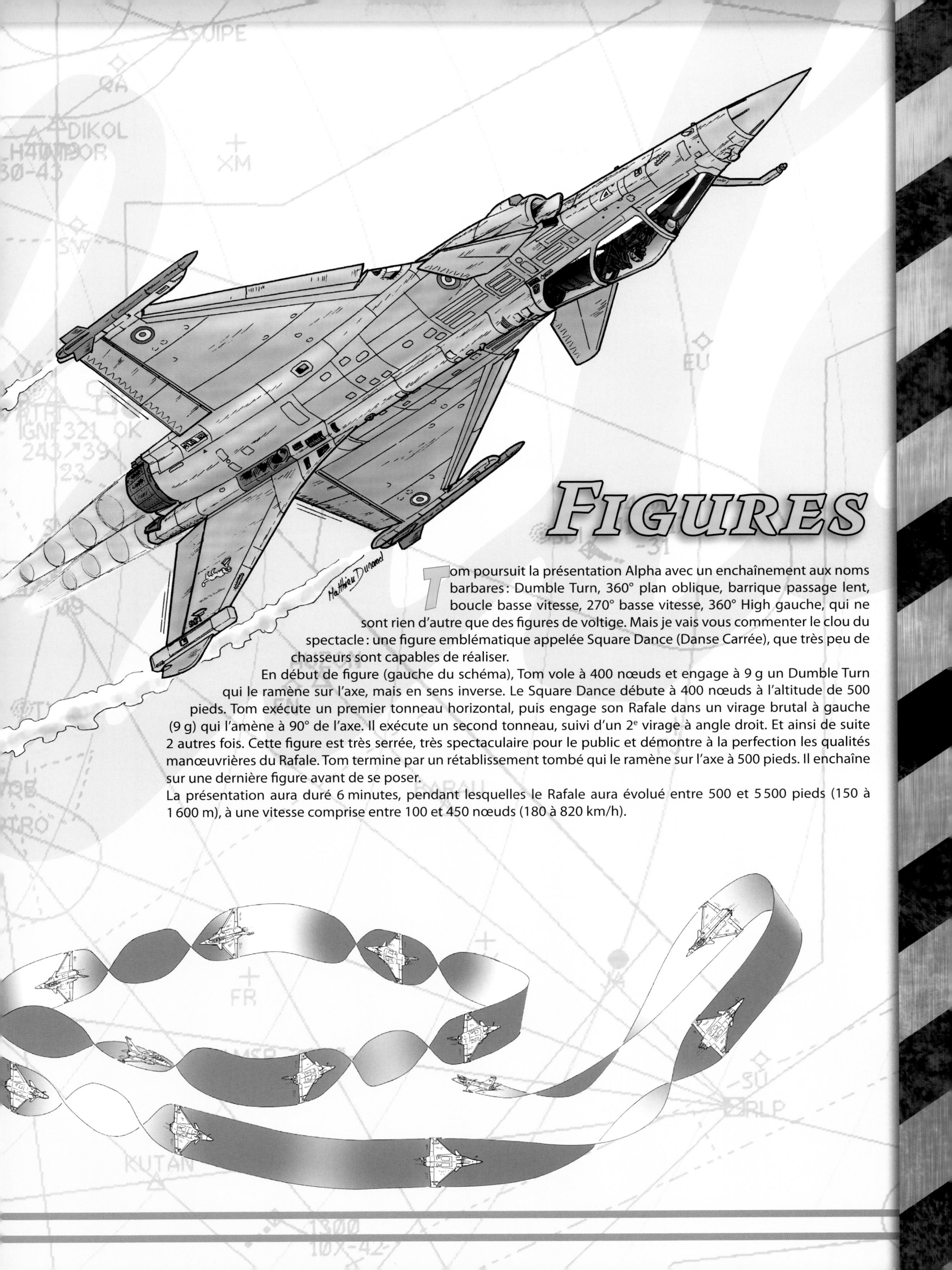

Figures

Tom poursuit la présentation Alpha avec un enchaînement aux noms barbares : Dumble Turn, 360° plan oblique, barrique passage lent, boucle basse vitesse, 270° basse vitesse, 360° High gauche, qui ne sont rien d'autre que des figures de voltige. Mais je vais vous commenter le clou du spectacle : une figure emblématique appelée Square Dance (Danse Carrée), que très peu de chasseurs sont capables de réaliser.

En début de figure (gauche du schéma), Tom vole à 400 nœuds et engage à 9 g un Dumble Turn qui le ramène sur l'axe, mais en sens inverse. Le Square Dance débute à 400 nœuds à l'altitude de 500 pieds. Tom exécute un premier tonneau horizontal, puis engage son Rafale dans un virage brutal à gauche (9 g) qui l'amène à 90° de l'axe. Il exécute un second tonneau, suivi d'un 2e virage à angle droit. Et ainsi de suite 2 autres fois. Cette figure est très serrée, très spectaculaire pour le public et démontre à la perfection les qualités manœuvrières du Rafale. Tom termine par un rétablissement tombé qui le ramène sur l'axe à 500 pieds. Il enchaîne sur une dernière figure avant de se poser.

La présentation aura duré 6 minutes, pendant lesquelles le Rafale aura évolué entre 500 et 5 500 pieds (150 à 1 600 m), à une vitesse comprise entre 100 et 450 nœuds (180 à 820 km/h).

Rafale AIR
SUPÉRIORITÉ AÉRIENNE

Photographies Alexandre Paringaux

L'année 2006 fut celle de la consécration pour le Rafale Air, avec son admission au service opérationnel dans l'armée de l'air française. L'escadron de chasse 1/7 « Provence », qui a mené le Jaguar jusqu'au bout de sa longue carrière avant d'être la première unité à être dotée du Rafale, reprend le flambeau. Une nouvelle épopée est lancée, tant dans les airs que sur le papier, et nul doute que Team Rafale, la nouvelle BD de référence de l'aviation de chasse moderne, saura en témoigner avec justesse au sein d'horizons aussi variés qu'exotiques.

L'année 2007 verra sans aucun doute l'accélération des aventures du Rafale, et le Jaguar n'aura pas à rougir de son successeur qui va « bourlinguer » tout autant. Les premières participations à différents exercices ont déjà débuté et le stage de TLP à Florennes en janvier a permis d'aguerrir nos équipages tout en montrant à nos alliés la dimension de nos capacités.

Une fois son baptême du feu effectué, le Rafale devrait être rapidement reconnu à son juste niveau par ses congénères. Mais ce qui caractérise le plus cette merveilleuse machine volante, c'est avant tout son énorme potentiel et les multiples possibilités d'utilisation de son système d'armes. L'esprit inventif des jeunes pilotes et navigateurs permettra sans aucun doute de découvrir sans cesse des applications nouvelles et de définir des tactiques de plus en plus hors du commun. Le rêve des PN et des accros de l'aviation est encore loin d'être assouvi et le Rafale nous ouvre encore de nouveaux horizons dans ce domaine.

Que l'aventure des héros de cette BD soit le reflet de celle de nos équipages, c'est le souhait des rêveurs que nous sommes. Tom Nolane et sa fine équipe nous feront voyager sans aucun doute dans des univers différents, au travers d'un contexte géopolitique parfois tendu et dans l'ambiance Rafale des nouveaux systèmes d'armes mis en service récemment ou à venir.

Que l'aventure continue pour les passionnés d'aviation au travers de ces récits à la pointe de la technologie.

Longue vie au Rafale en vol et dans le rêve des hommes qui s'endormiront après avoir feuilleté les pages de cette BD chevaleresque moderne.

Lieutenant-colonel Vincent CHUSSEAU,
Commandant de l'EC 1/7 « Provence » (2005-2007)
2 200 heures de vol

DO NOT PULL HANDLE
DANGER

RDR
AOA 2.7
ARM
BULL BINGO
DEST
WPN
FAIL
AP
INFO
UPD COM IFF
A/A A/S EMC
APP FPL ⇒2
T 12:21:10
ALT
KT
016
STORES
HOOK
ON
RFL
OFF
RESET
AC
L NORM R
DC
TEST
STBY
OFF
BATT
ENG
FCS
PIC
TD
EW
SRV
MAP

1000
51 NM
22
G
1.0
R2FF 20
C
415 KT
FPL
ZON
MIS
NORM
398
1013
STD
TEST
931 FEEDERS
TOTAL
4750
FUEL FLOW
12
65 N2 65
SEL
FT
RR
ARMED

Confort, protection et ergonomie, un casque sur mesure pour pilotes d'avions
CASQUE AVION LA100
MSA GALLET
MSA GALLET
Allied Force

FRANCE
MSA GALLET

Caractéristiques du Rafale

Envergure .... 10,80 m
Surface alaire .... 45,70 m
Longueur .... 15,27 m
Hauteur .... 5,34 m

Masse à vide .... 10 tonnes
Masse maximale au décollage .... 24.500 kg
Carburant (interne) .... 4.700 kg
Carburant (externe) .... 6.800 kg
Capacité maximale d'emports externes .... 9.500 kg

Points d'emports externes 14
Points d'emports pour charges lourdes et carburant 5

Facteurs de charge .... +9g/-3.2g
Vitesse max .... Mach 1.8
Vitesse d'approche .... 120 kts (222 km/h)
Distance de roulement à l'atterrissage .... 450 m
Taux de montée .... plus de 1,000 ft/sec (300m/sec)
Plafond opérationnel .... plus de 55.000 ft (16500 m)
Rayon d'action en mission de pénétration .... plus de 1.000 NM (1852 km)
Temps de patrouille en défense aérienne .... plus de trois heures

Dès le milieu des années 70, la France et d'autres pays européens commencent à étudier les caractéristiques d'une nouvelle génération d'avions de combat destinés à entrer en service une quinzaine d'années plus tard. L'importance de ces programmes, tant du point de vue opérationnel que financier, conduit à rechercher des coopérations internationales. Il s'agit tout autant de partager les frais de développement que de diminuer les coûts d'une production en série.
Mais rapidement des dissensions se font jour : alors que plusieurs pays recherchent avant tout un appareil optimisé pour les missions air-air, la France met en avant le besoin pour un avion polyvalent capable de remplacer de nombreux appareils en service dans la Marine et l'armée de l'Air.
Les rivalités politiques et industrielles font finalement échouer les nombreuses tentatives de rapprochement et la France choisit en fin de compte de développer seule le Rafale proposé par Dassault Aviation, avec l'espoir d'exporter l'avion ultérieurement.
La polyvalence du Rafale devra s'exprimer non seulement au travers de son système d'arme, lui permettant de remplir simultanément des missions air-sol et air-air, mais également dans son architecture et son aérodynamique devant permettre la « navalisation » de l'avion et son embarquement sur porte-avions.
Le démonstrateur Rafale A vole pour la première fois le 4 juillet 1986. Il est suivi par des prototypes marins (Rafale M) et des Rafale Air (Rafale C et B). Depuis son entrée en service opérationnel en mai 2001 au sein de la flottille 12F, le Rafale M remplace progressivement les Super Etendard Modernisés dans les missions de combat air-sol. Il succède également au Crusader dans les missions de défense aérienne. L'armée de l'Air a quant à elle inauguré son premier escadron de Rafale, le EC 1/7 Provence, en juin 2006. Le biréacteur qui a commencé par remplacer le Jaguar doit à terme succéder aux derniers Mirage F1, aux Mirage 2000D et N de pénétration et de bombardement nucléaire et enfin aux Mirage 2000C et –5 de défense aérienne. A terme, le Rafale dans ses différentes versions sera l'avion de combat unique au service de la France.

Frédéric Lert, journaliste de défense.

330-AC

Les Éditions Zéphyr

Les Éditions Zéphyr sont spécialisées dans la production de livres, bandes dessinées, DVD, plaquettes et supports publicitaires liés à l'aéronautique, à l'espace et plus généralement à la défense.

À ce jour, les Éditions Zéphyr ont déjà conçu, réalisé et publié en propre douze ouvrages de prestige sur les armées réalisés avec le soutien du ministère de la Défense et divers industriels français.

www.zephyreditions.com

ÉQUIPAGES 2005-2006

RUT FIOCKY BARRAX PECK MICKAEL SAM BOUBOU

LORENZO POPOR BOBO ZIBO MANU PHIL